MORDECAI RICHLER

Mordecai Richler (1931-2001) est l'un des plus illustres écrivains canadiens de langue anglaise. Sa renommée dépasse largement les frontières du Québec et du Canada. Bon nombre de ses œuvres, ses romans surtout, nourris des souvenirs de sa jeunesse passée dans le quartier juif de Montréal où il est né, et ses essais, ont paru à Londres et à New York, puis à Paris et Montréal, en traduction. Écrivain résident à l'Université Sir George Williams (1968), où il avait fait ses études universitaires, puis professeur invité au département d'anglais de l'Université Carleton, en Ontario, il a œuvré pendant de nombreuses années à Montréal au réseau anglais de Radio-Canada à titre de journaliste. Mordecai Richler a été boursier de la Fondation Guggenheim et du Conseil des Arts du Canada, et il a reçu à deux reprises (1968 et 1971) le Prix du Gouverneur général.

RUE SAINT-URBAIN

L'apprentissage de Duddy Kravitz a propulsé Mordecai Richler au rang des meilleurs romanciers nord-américains. Dans *Rue Saint-Urbain*, Duddy apparaît en filigrane, comme l'un des camarades du narrateur qui raconte sa jeunesse au sein du ghetto juif montréalais des années 1940. Un monde aux personnages hauts en couleur, où les jeunes livrent bataille aux *pea soups*, les Canadiens français, mais sans véritable haine, car c'est par ignorance, estime ce narrateur, que les Juifs d'alors restaient entre eux. D'ailleurs, c'étaient plutôt les « WASP », les *White Anglo-Saxon Protestants*, qu'ils détestaient… Ce monde est aussi celui de la guerre et des jeunes qui s'engagent. Le conflit terminé, les réunions sionistes prennent le relais : projections de films sur la vie dans les kibboutz, collecte pour le *Jewish National Fund* et, surtout, soirées dansantes et flirt avec les filles qui commencent à susciter l'intérêt… Des récits vivants et pleins d'humour, émaillés d'observations et de réflexions qui captiveront les lecteurs curieux du Québec de ces années-là.

RUE SAINT-URBAIN

MORDECAI RICHLER

Rue Saint-Urbain

Roman

Traduit de l'anglais
par René Chicoine

BIBLIOTHÈQUE QUÉBÉCOISE

BQ

Bibliothèque québécoise (BQ) est une société d'édition administrée conjointement par les Éditions Hurtubise et Leméac Éditeur. BQ bénéficie du soutien financier du gouvernement du Québec par l'entremise du programme de crédit d'impôt pour l'édition de livres et de la Société de développement des entreprises culturelles (SODEC). BQ reconnaît également l'aide accordée à son programme de publication par le Conseil des arts du Canada.

Financé par le gouvernement du Canada
Funded by the government of Canada | Canada

Conception graphique : Gianni Caccia
Typographie et montage : Dürer *et al.* (Montréal)

ISBN 978-2-89406-214-2

Dépôt légal : 3e trimestre 2002
Bibliothèque et Archives nationales du Québec

Distribution/diffusion au Canada :
Distribution HMH

Distribution/diffusion en Europe :
DNM-Distribution du Nouveau Monde

IMPRIMÉ AU CANADA

PROLOGUE

LE DIRECTEUR DES ÉTUDES me demanda pourquoi je voulais aller à l'université.

Spontanément je répondis : « Je veux devenir un médecin, je crois. »

Un médecin.

Rue Saint-Urbain, les berceaux et les couches nous étaient brutalement supprimés et, du jour au lendemain, vous vous retrouviez à la maternelle. Nous ne savions pas que l'initiation aux études médicales commençait déjà. Il fallait avoir six ans pour être admis à l'école, mais les mamans — férocement ambitieuses par anticipation — traînaient leurs gosses, âgés de quatre ans et protestant de toutes leurs larmes, jusqu'au bureau d'inscription, Là, elles expliquaient : « Il est plutôt petit pour son âge. »

— Vous avez son certificat de naissance ?

— Ah ! on a eu un incendie, vous savez.

Rue Saint-Urbain, tout ce que vous receviez, c'était un bon départ. Nos mères nous lisaient des articles du *Life* sur des garçons de quatorze ans, des boutons partout et les yeux faibles, qui avaient décroché un diplôme à Harvard ou qui avaient, par leur savoir, déconcerté les professeurs au Massachusetts Institute of Technology. Lire les bandes illustrées ou écouter *The Green Hornet* à la radio, cela pouvait vous valoir un bon coup sur la tête, administré à l'occasion avec un exemplaire roulé du *Canadian Jewish Eagle,* comme si cela pouvait, en soi, nourrir le cerveau. Nous n'étions pas censés, non plus, inscrire dans notre mémoire les moyennes des joueurs de baseball et encore moins les petites grivoiseries rythmées qui se répètent entre amis. Nous devions augmenter notre potentiel verbal en lisant les condensés du *Reader's Digest* et exalter notre idéal grâce aux biographies de médecins écrites par Paul de Kruiff. Si nous ne devenions pas médecins, nous devions au moins nous hausser jusqu'à l'art dentaire. L'ordre du classement scolaire comptait beaucoup plus que les résultats en soi. Je me souviens qu'un soir d'hiver, je revins à la maison les narines pincées, les oreilles brûlantes de froid, mais tout fier de mon bulletin : « Je me suis classé deuxième, m'man. »

— Oui, mais j'aimerais te demander, par exemple, qui est arrivé premier.

C'était, hélas ! le fils de Mme Klinger. Le téléphone ne tarda pas à sonner, d'ailleurs. « Eh bien ! félicitations, répondit ma mère. Et qu'est-ce que le spécialiste des yeux a dit de votre Riva ? La pauvre enfant ! Si jeune, et avoir déjà un complexe. Est-ce qu'ils vont pouvoir les redresser ? »

L'école paroissiale offrait des plaisirs mêlés. Les vieux bonshommes qui nous enseignaient l'hébreu, mal payés comme ils l'étaient, avaient des propensions à la hargne et à l'impatience, ce qui s'exprimait par des torsions d'oreilles et des coups sur les jointures. Bref, ils n'avaient pas les enfants en odeur de sainteté. Mais les jeunes femmes qui nous enseignaient l'anglais étaient charmantes, délibérément modernes et soucieuses de notre avenir. Elles nous entretenaient de *El Campesino,* du culte de John Steinbeck pour la vérité, et nous lisaient à haute voix le discours de Sacco à la cour. Si l'une des institutrices célibataires paraissait fatiguée au début de la matinée, nous en arrivions à la conclusion unanime qu'elle avait fait l'amour la veille. Avec un soldat peut-être. Et complètement à poil.

De l'école paroissiale, je passai à une institution que, pour les besoins des récits qui suivent, je nommerai Fletcher's Field High ou encore F.F.H., et qui relevait du Conseil scolaire protestant de Montréal, bien que sa clientèle fût juive à presque cent pour cent. Elle devint une sorte de légende dans le quartier. Apparemment, tout le monde avait passé par F.F.H. : des joueurs professionnels célèbres ou, si vous préférez, des *gamblers* ; des gars qui étaient allés en Espagne participer à la guerre civile ; des médecins qui faisaient des miracles et des avocats qui avaient une langue valant son pesant d'or ; des boxeurs et des combattants en Israël ; et même un espion en recherches nucléaires ! On leur avait tous prêché, et je n'y avais pas échappé, la décision, l'audace, le courage viril, et recommandé avant tout de

Lutter et travailler fort
Avec le cœur tout à l'ouvrage
Et jouer le grand jeu jusqu'au bout
Tel qu'on nous l'enseignait à Fletcher.

Que de fois nous avons remporté les honneurs du Québec aux examens d'immatriculation « junior » ! Cela n'était pas sans irriter ceux d'entre nous qui étaient communistes et prétendaient que les Juifs ressemblaient à tout le monde. Mais pour tous les autres, bien plus nombreux, qui savaient qu'en toute saison rien ne vaut un garçon yiddish, c'était une occasion annuelle de célébration. La classe 41, la mienne, était une des rares qui pouvait se vanter d'avoir en son sein un vrai Gentil, un authentique protestant de race blanche. Les Yougoslaves et les Bulgares, eux, ne comptaient pas ; ils étaient aussi rusés que nous ; aux concerts de l'école, leurs mères, gourmandes et bouffies, se tenaient aussi rigidement que les nôtres dans leurs corsets ; leurs pères, comme les nôtres, aimaient porter des chapeaux de paille élégants et jurer dans leur langue maternelle. Notre oiseau rare s'appelait Whelan et il n'était rien de moins que parfait. Très blond, avec des yeux réellement bleus, et une bouche qui avait tendance à rester ouverte quand il était assis. Il était né pour jouer au hockey et aussi pour jouer premier but. Les étudiants des autres classes venaient l'observer, remplis d'envie, et ils lui posaient des questions. Comme on peut s'y attendre, Whelan n'avait pas de matière grise à revendre, mais il donnait à la classe 41 un ton et un prestige dont elle avait grandement besoin. Dans le dessein de le garder avec nous au fur et à mesure que nous montions de classe, nous écrivions ses compositions et lui passions les réponses au moment des examens. C'est dire que nous étions énormément fiers de notre Whelan.

Parmi les jeunes professeurs — des anciens combattants pour la plupart — il s'en trouvait un certain nombre qui étaient vraiment dévoués alors que d'autres étaient acariâtres ou brutaux. M. Shaw, par un bel après-midi, fit goûter de la courroie à douze d'entre nous, deux coups sur chaque main, parce que nous avions refusé de lui dire qui avait osé, pendant qu'il avait le dos tourné, produire un bruit naturel mais décidément vulgaire. Quant aux points faibles des plus vieux professeurs, nous les connaissions par cœur, vu que tous nos oncles, tantes, cousins et frères aînés nous avaient précédés à F.F.H. Ainsi, nous savions qu'il y avait un professeur qui inaugurait toujours son premier cours aux élèves de première avec cette blague classique: «Savez-vous comment un Juif trace un s?»

— Non, monsieur.

Il dessinait alors un s au tableau, puis le barrait de deux lignes verticales et symboliques, passant, si j'ose dire, de la lettre à l'esprit.

À F.F.H. se formaient les futures notabilités de la communauté, les parents progressistes, les échevins en faveur des réformes, les défenseurs acharnés de l'école sans démissions, les collectionneurs de vieux meubles canadiens. Il y avait ceux qui deviendraient médecins et donneraient des causeries à des associations féminines sur les signes avant-coureurs du cancer. Il y avait les filles dont la photo finirait par paraître dans les pages mondaines du *Montreal Star* et sous les auspices desquelles auraient lieu des concerts donnés au bénéfice des enfants arriérés (sans distinction de race, de couleur ou de religion) ou encore des déjeuners-mode au profit de l'université hébraïque. Sans compter les professeurs, les gens de professions libérales et les rabbins merveilleusement dans le vent qui non seulement pouvaient citer le rabbin Akika mais pouvaient prendre du plaisir à un match de hockey. Seulement, comment aurions-nous pu deviner que ces filles si avachies ou si agressives, aux soutiens-gorge en trompe-l'œil, deviendraient des jeunes femmes à l'air serein, gentilles comme du miel, rêvant d'une apothéose au centre culturel Saidye Bronfman, où elles poseraient en coiffure bouffante et en robe au décolleté plongeant, dans un escalier tout en courbes et en marbre? Et que ces garçons aussi culottés, chacun d'eux un arnaqueur en puissance, deviendraient des adultes béatement satisfaits de ce que le monde avait à offrir, affichant une resplendissante, une rayonnante confiance en soi au club de curler ou au club « de campagne », et que même ils exhiberaient sans embarras un ventre énorme débordant au-dessus de leurs shorts, style bermuda? Qui aurait pu deviner?

Pas moi en tout cas.

Si je pense à ces années de formation plutôt rude passées à F.F.H., je dois dire qu'il ne s'en dégage ni charme ni promesse d'avenir. Nous étions crasseux et vindicatifs, prêts à saisir l'occasion par les cheveux. Maintenant, je puis bien pardonner à tous et un chacun de ce temps-là. Sauf à l'imbécile criminellement responsable d'un certain recueil qui, par le choix des textes, réussissait à rendre la prose et la poésie plus ennuyeuses qu'un enterrement. Rien n'aurait pu être aussi bien calculé pour nous faire prendre la littérature en aversion suprême sauf la punition qui consistait à nous faire écrire vingt-cinq fois *Ode To The West,* et qui nous faisait tout autant souffrir.

Un diplôme obtenu à F.F.H. ouvrait la porte à une situation pour la plupart d'entre nous, et à l'université pour quelques privilégiés. En même temps, il en fermait une autre sur un monde presque clos, constitué des rues Clark, Saint-Urbain, Waverly, Esplanade et Jeanne-

Mance, ces cinq rues étant bornées par la « Main » d'un côté et par l'avenue du Parc de l'autre.

En 1948, l'exode vers la banlieue était, sans jeu de mots, en très bonne voie.

Dix-sept ans plus tard, en cette année faste de l'Expo 67, je revenais d'un Londres plutôt triste, via un New York délabré : Montréal m'apparut immédiatement comme une ville prospère. Alors que notre jet plongeait vers Dorval, j'aperçus, brillante de lumière, comme une suite sans fin d'encriers d'un beau vert et aux formes capricieuses. C'étaient, évidemment, les piscines de banlieues, construites pour Arty et Stan, pour Zella, Nate, Fanny, Shloime, Pinky le mouchard, pour le petit rejeton modèle de Mme Klinger, pour tous ces garnements en compagnie desquels j'avais appris à faire le noyé dans les eaux boueuses de la rivière Shawbridge que le bureau de Santé, à cause de la polio, condamnait régulièrement, chaque mois d'août. De nombreux échangeurs tournaient à droite, à gauche, grimpaient et descendaient vers un nœud de prospérité montant en épingle les étages d'immeubles sans fin. Les hôtels semblaient tout neufs, comme frais déballés de la veille...

La place Ville-Marie, le métro, l'Expo, l'île Notre-Dame, le square Westmount, le groupe Habitat, la place des Arts. Cette surabondance ne correspondait certes pas à l'idée que j'avais gardée de la ville qui m'avait vu grandir, que j'avais quittée.

Déroutante nouveauté, dépaysement. Il me fallait absolument retrouver une ambiance familière : la lecture de la *Gazette* et du *Star*. Vitement, je cherchai la chronique de ce duo actif, de ces doux baratineurs Fritz et Bruce Taylor qui, après tant d'années, sont encore les compilateurs indiscutés des événements mondains de notre ville. Les planètes pourraient s'emboutir et la guerre nucléaire faire rage que je pourrais encore compter sur ces deux-là pour me tenir au courant des activités de mes camarades d'école. Pour m'annoncer qu'un tel, placier en fonds mutuels, propriétaire d'une maison à plans décalés à Hampstead, vient tout juste de réussir à jouer un trou sans reprise à Miami. Pour me nommer tous ceux dont la taille s'épaissit (comme la mienne d'ailleurs) et qui pratiquent le « piétinement » gymnastique au « Y » ou ceux, s'il en est, qu'une crise cardiaque a terrassés ou qui se remettent, en apparence, de l'ablation d'un poumon, et qui seront bien regrettés dans leur milieu bourgeois, pour ne pas mentionner leurs confrères de la « Pythian Lodge ».

Fritz et Taylor ne me déçurent point mais je fus ébahi d'apprendre que dans une émission à venir, *Keep off The Grass,* les enfants seraient mis en garde contre la marijuana.

La marijuana.

Tout comme le *Reader's Digest,* la marijuana n'engendre pas l'habitude, rappelons-le, mais elle peut, elle aussi, faire naître une habitude réelle. Dans un cas comme dans l'autre, héroïne ou livres médiocres abrégés, cela signifie qu'on se retire de la vie réelle, la seule qui ait un sens.

Rue Saint-Urbain, de mon temps, les tabous étaient autres : c'était le jambon et le homard. Quand nous objections qu'ils n'engendraient pas l'habitude, nos grands-pères nous demandaient, le visage rouge de colère : « Manger du cochon ? Si on se met à ignorer la tradition à ce point, où irons-nous ? » Où ? Maintenant, nous le savons. Les enfants des enfants d'autrefois fument de la marijuana, font des « voyages » néfastes et on les découvre en état de torpeur totale dans des lieux spécialisés.

Expo 67 fut un événement extrêmement stimulant. Ma femme et moi décidâmes de revenir à Montréal pour un an, à titre d'essai, et non pas tellement comme Néo-Canadiens que comme Canadiens de retour au pays. Nous arrivâmes en septembre 68. Il s'est trouvé que l'hiver qui suivit fut d'une rigueur à rebuter le plus saint des saints. Le Dr Johnson avait décrit notre pays comme « une région stérile et désolée... une région froide, dure, hostile, de laquelle on ne peut tirer que des poissons et des fourrures ». Plus récemment, W. H. Auden a écrit : « Les Dominions, pour moi, sont des *tiefste Provinz*, des endroits qui n'ont engendré aucun art et sont habités par un genre d'individus avec lesquels je n'ai rien en commun. »

Incontestablement, la remarque est injuste. Mais il y avait à peine un mois que j'étais de retour quand je lus dans le journal : UN INVALIDE ÉCHOUE À L'ÉPREUVE DE LA LOTERIE DE MONTRÉAL (ce qui lui enlevait la chance de gagner le gros lot de cent mille dollars).

> Le pensionnaire d'une institution, à moitié aveugle, est, à ce jour, le premier candidat à échouer au concours de la taxe volontaire du maire Jean Drapeau parce qu'il n'a pu nommer Paris comme étant la plus grande ville française du monde.

Pour moi qui aime pratiquer la satire à l'occasion, cette somme d'argent était, si j'ose dire, un sujet en or ! D'autant plus que la suite de l'article révélait que notre habile et infatigable maire, qui généralisait peut-être en partant du point de vue particulier du conseil municipal, avait fait le commentaire suivant : « Cet échec apporte la preuve que les questions ne sont pas faciles et qu'elles exigent des connaissances réelles. »

Ô saint Urbain ! Ô Montréal, marqué au fer rouge par son maire et devenant, grâce à lui, la seule métropole où le fait de savoir que Paris est la plus grande ville française du monde constitue un critère de potentiel intellectuel !

Et on s'acharne sur les hippies comme s'ils étaient porteurs de la lèpre !

Il se peut que je m'explique mal certaines choses parce que j'ai grandi dans un Montréal plus rude, plus fruste, château fort de l'incomparable Camilien Houde. Ce qu'il fallait réprimer à l'époque était bien vieux jeu ! Il s'agissait en effet du jeu qui se pratiquait dans les « barbottes » et de ceux qui se pratiquaient dans les bordels. Montréal subit alors le zèle de deux redresseurs de torts, l'un du côté de la loi alors que l'autre était contre. Le commissaire de police Pax Plante — des yeux tout autour de la tête — devint la terreur des prostituées et l'ennemi implacable des « bookies » aux tuyaux sûrs, reçus par téléphone chaque matin ; en limousine noire, il parcourait la ville et scrutait d'un œil intrépide les maisons situées dans les rues de débauche. Bref, c'était un *Batman* par anticipation, et canadien-français. D'autre part, Al Palmer, du défunt journal *Herald*, menait une campagne héroïque en faveur de la vente ouverte de la margarine, cette margarine qui était aussi illicite à l'époque, dans le Québec, que la marijuana l'est de nos jours. Al Palmer, défenseur des aliments succédanés, était une sorte de Dr Tim Leary.

En ce temps-là, il ne faut pas l'oublier, aucun agent de police n'aurait osé nous menacer d'un coup d'État ainsi que l'a fait le sergent Roger Lavigueur à une réunion récente des membres du corps policier : « Cela se produit tous les jours en Amérique du Sud, a-t-il déclaré, et cela pourrait se produire ici également. Nous, de la police, aurons peut-être à nous emparer du pouvoir. »

Dans les années quarante, années civilisées — c'était avant Marcuse, Fanon, Che et le maire Daley —, nos agents, aussi bien provinciaux que municipaux, ne matraquaient jamais une tête, sauf quand elle était dure comme le roc, c'est-à-dire comme une tête de gréviste. Tellement gentils, ils étaient ! Par exemple, avant de faire une descente dans une salle de jeu ou dans un bordel, ils téléphonaient à l'avance pour être bien sûrs qu'aucune personne respectable ne se trouverait sur les lieux. À leur arrivée, ils cadenassaient résolument les toilettes et, en repartant, acceptaient un petit rien du tout pour leur travail.

Juste après la guerre, les hippies n'avaient pas à toucher l'assurance-chômage, ce qui provoqua l'ire des Montréalais qui avaient bien réussi. Ils auraient pu subsister et servir la communauté moyenne en suivant l'exemple de ces garçons de la rue Saint-Urbain à qui une noble inspiration conseillait de voter vingt fois ou plus à n'importe quelle élection municipale, provinciale ou fédérale. Ah ! c'étaient les belles années ! Vous vous souvenez du député Fred Rose, communiste et espion ? Du parlement il passa à la prison et fut remplacé par Maurice Hartt, de qui le *Time* écrivit :

> Hartt manie sa langue comme un fouet et c'est là son principal atout électoral. Un jour, il s'en prit au premier ministre Duplessis et celui-ci, livide de rage, se tourna vers le chef de l'opposition Adélard Godbout :

« Vous n'auriez pas un autre Juif que celui-là pour vous servir de porte-parole ? » s'écria-t-il. Hartt se dressa comme un ressort, pointa le crucifix derrière le fauteuil du président des débats et s'écria : « Oui, il y en a un. Son image vous parle depuis deux mille ans mais vous n'avez pas encore entendu son message. »

Il fut un temps où un jeune notaire, fraîchement diplômé, pouvait entrer au conseil municipal à raison d'un dollar par année et, à l'expiration d'un ou deux mandats, en sortir, ô surprise ! agent d'immeubles millionnaire, après avoir eu la chance d'acquérir des fermes rocailleuses où devaient se construire de grandes routes ou de belles écoles. Ce type de conseiller municipal, devenu peut-être par la suite président de conseil des marguilliers ou de la synagogue — il détient sûrement, en tout cas, une médaille des fêtes du Centenaire du Canada — c'est le genre d'homme toujours prêt à invectiver la jeunesse immorale, à condamner ces jeunes gens si peu aptes à quoi que ce soit que loin de « multivoter » ils ne se rendent même pas au bureau de vote ; ces jeunes gens qui ne respectent pas leurs parents, lesquels ont connu l'époque où un dollar, bon Dieu ! n'était pas à dédaigner et où, pour le gagner, il fallait travailler d'arrache-pied.

Revenir à Montréal en 1968, c'était découvrir une autre ville, car la mienne avait été rasée. Quant à la rue Saint-Urbain, elle était devenue un ghetto… grec.

La synagogue *Young Israel*, où nous pratiquions les barres parallèles, n'existe plus. Là où se trouvait la salle de pool que je fréquentais s'élève une banque superbement éclairée. Bien des magasins d'autrefois ont disparu. Des mortalités et des faillites se sont produites. Beaucoup de résidents sont partis. Mais non pas pour un monde meilleur ; ils ont suivi leur clientèle au centre commercial le plus proche, rue Van Horne ou Rockland, à moins que ce ne soit à Westmount ou à Ville Saint-Laurent.

Le long de la *Main,* vous pouvez encore retrouver pas mal de vieux restaurants et de *steak houses,* coincés entre des « manufactures » de tricots, des salles de pool, des maisons sans eau chaude, des entrepôts de grossistes en nouveautés et des salons « sanitaires » de coiffeurs pour hommes. J'ai reconnu les endroits où nous travaillions dans l'expédition, l'été, pour dix dollars par semaine. Et l'école Fletcher's Field High est toujours là. Les rabbins-aspirants et les enfants aux mèches frisées sur les tempes continuent de passer aux mêmes endroits. Ils sont toutefois de Pologne ou de Roumanie, fraîchement débarqués avec leurs parents qui vont les forcer à travailler ferme afin de pouvoir percer, afin de pouvoir en sortir. Mais beaucoup de nos grands-parents, ceux-là même qui nous assuraient que la *Main,* c'était bon pour les voyous et les ratés, eux, n'en sortiront jamais.

Aujourd'hui, alors que la plupart de leurs enfants ont réussi, que leurs petits-fils et petites-filles possèdent maisons à plans décalés et manteaux de vison et qu'ils vont, l'hiver, en croisière aux Antilles, nombre de grands-parents restent attachés à la *Main.* Dans bien des cas, leurs enfants ne peuvent les persuader qu'ils devraient changer d'air. Vous les voyez donc encore là, épuisés, à bout de souffle. Ils s'assoupissent dans le magasin de tabac, près du frigo à Coke, assis sur des chaises de cuisine, un tue-mouches dans une main maintenant tachetée par l'âge. Ils roulent leurs propres cigarettes et scrutent la colonne des décès du *Star,* sur les marches extérieures de la librairie juive. Comme autrefois, les femmes pèlent les pommes de terre à l'ombre d'un escalier extérieur, et tournant. Sur le balcon au-dessus, les hommes observent les allées et venues, les jambes entourées d'une couverture, un petit sac de graines de pavot sur leurs genoux. Tel que jadis, le logis tout de guingois, avec un plancher à l'avenant, est situé juste au-dessus du magasin de détail ou de gros, ou peut-être voisine-t-il avec un dépôt de ferraille. Seulement, de nos jours, le magasin ou le dépôt sont fermés. Des enseignes de cigarettes *Sweet Caporal* ou des affiches d'élections passées bouchent les carreaux brisés, le tout recouvert de toiles d'araignées.

1

C'ÉTAIT EN 1953. Le premier dimanche après mon retour d'Europe, ou j'avais séjourné deux ans, j'allai visiter ma grand-mère qui habitait rue Jeanne-Mance.

Un journal yiddish se balançant sur ses cuisses massives, les lacets de ses chaussures résolument défaits, ma grand-mère s'était pelotonnée sur le perron dans une chaise de cuisine, comme fixée à demeure, entourée de ses fils et filles, flanquée de ses petits-enfants. « Les Juifs, en Europe, comment s'arrangent-ils ? » demanda-t-elle.

Se faire demander ça tout de go, par une vieille dame qui vous a une verrue vissée dans la joue... L'attitude de l'intellectuel-homme-du-monde si chèrement acquise, les idées teintées par le *New Statesman*, la connaissance approximative des vins et capitales de l'Europe, le mode de vie sans rapport avec celle du ghetto, tout cela tomba comme laine du dos d'un mouton.

— Je ne sais pas, répondis-je, honteux, mais irrité en même temps d'être récupéré si promptement. Je n'en ai pas rencontré.

S'appuyant contre leurs voitures brillantes, toutes neuves, bâillant sur les marches du perron, les mains dans les poches ou affairées à tenir une tranche de melon d'eau d'une main et, de l'autre, à en lancer les graines dans une soucoupe, mes oncles me reprochèrent de n'être pas allé en Israël. Mais leur curiosité au sujet de mon séjour outre-atlantique contrastait grandement avec l'anxiété de ma grand-mère. Ce qui les intéressait, c'étaient les Folies-Bergères et la relève de la garde au palais Buckingham. Ils étaient devenus Canadiens. Le Canada avait été et continuait d'être, pour eux, un pis-aller acceptable qui faisait d'eux des quasi-Américains.

À l'instar de bien d'autres, mon grand-père s'aventura au Canada comme passager de troisième sur un *shtell* de Galicie en 1904, tout de suite après le déchaînement de la guerre russo-japonaise et du progrome particulièrement ignoble de Kishinev, fomenté par l'antisémite virulent P. A. Krushevan, le rédacteur en chef du *Znamya (La Bannière)*, celui qui, quatre mois plus tard, fut le premier à publier en russe le procès-verbal de l'assemblée internationale des Francs-Maçons et des Anciens de Zion sous le titre : « Projet de la conquête du monde par les Juifs ».

Je fus bien étonné d'apprendre, longtemps après, que mon grand-père avait, au départ, un billet de chemin de fer pour Chicago. Sur le paquebot, il avait fait la connaissance d'un coreligionnaire, adepte de la même secte, qui avait des parents à Chicago mais un billet pour Montréal. De son côté, mon grand-père connaissait le cousin de quelqu'un habitant Toronto, ville située au Canada, se trouva-t-il à apprendre. Un matin, sur le pont, les deux hommes échangèrent leurs billets.

À son arrivée à Montréal, mon grand-père obtint un permis de commerce et, d'autre part, un léger prêt de l'organisme Baron de Hirsh. Il s'installa près de la rue Saint-Laurent, qu'on appelait déjà la *Main,* dans une zone qui n'était pas encore un ghetto. Ici comme en Amérique (celle d'outre-frontière), les immigrants travaillaient dans des conditions pénibles, pour le compte d'ateliers qu'ils inondaient de sueurs. Ils louèrent des locaux au-dessus d'épiceries ou de salles de pool afin de pouvoir se réunir. Ils fondèrent des sociétés funéraires et créèrent des *shuls.* Des « vieux pays » ils firent venir frères cadets et cousins, futures épouses et rabbins. Lentement, infailliblement, ils commencèrent à gravir l'échelle des rues, si on peut dire : d'une rue où il fallait déposer les ordures ménagères devant sa porte à une rue avec une vraie ruelle, avec même un petit potager à l'arrière, où vous pouviez faire pousser du maïs et des tomates ; d'un misérable trois-pièces au-dessus de la boutique du tailleur ou du marchand de fruits à un vrai logis, le vôtre enfin, bien que sans eau chaude.

Notre rue avait comme patron Urbain Ier, un saint pape du IIIe siècle. Sept autres papes prirent le même nom par la suite mais ce sont plutôt les chiffres 11 et 18 qui nous intéressent ici. Les routes nationales 11 et 18 se sentirent des affinités avec notre rue. De cette fréquentation naquirent des tas d'énormes camions réfrigérés, des tas de colporteurs en tacots branlants et, parfois, des touristes se rendant en voiture dans l'État de New York, dans Québec-Nord ou en Ontario, ou en revenant. À l'occasion, les routiers et les colporteurs s'arrêtaient chez *Tansky's* pour prendre une bouchée.

— Montréal, c'est une belle ville, déclaraient-ils. Une ville à la mode.

— Le *Gay Paree* de l'Amérique du Nord.

La dernière remarque suivait immanquablement la première. Si un des transporteurs était de Toronto, il commentait en douce: «La seule chose qu'on peut aimer de Toronto, c'est la route qui mène vers Montréal. Pas vrai?»

Les habitués de *Tansky's* trouvaient de bon augure que ces grands voyageurs devant l'Éternel s'arrêtent parfois à leur gargote favorite. «Ils savent, eux, quels sont les bons endroits», disait Ségal sentencieusement.

Quelques-uns de ces routiers arboraient des tatouages au bras, d'autres chiquaient du tabac ou roulaient leurs propres cigarettes avec du *Old Chum*. Chacun des habitués y allait de ses commentaires. En yiddish, naturellement.

— J'aimerais savoir depuis combien de temps celui-là est sorti de prison.

— L'autre, avec des trous dans la peau, il sent si fort qu'on dirait qu'il ne s'est pas lavé depuis des mois.

Les routiers frottaient leurs allumettes sur leur derrière luisant ou les faisaient claquer d'un coup d'ongle. Leur façon de cracher sur les dalles du lino témoignaient d'une assurance si magnifique que les rôles s'en trouvaient renversés et que les habitués se sentaient comme des intrus.

— Je te gage que celui-là, avec les grandes oreilles, il ne peut pas compter jusqu'à vingt sans enlever ses chaussures.

— Mais vous ne comprenez pas. Takifman hochait la tête, tirait pensivement sur sa pipe à l'envers, expliquait à ses camarades: «Les statistiques prouvent qu'ils sont plus heureux que nous. Si vous pensez qu'ils se soucient d'envoyer leurs enfants à McGill! Tous les neuf mois, ils font un enfant à leur femme. Réguliers comme des pendules. Ce qui les fait fonctionner, eux, ce sont les allocations familiales. »

Quand on parlait ainsi avec mépris de ces hommes mieux bâtis et plus virils, Tansky, le proprio, lançait à la fois un regard de reproche à ses coreligionnaires et un délicat ballon d'essai aux Canadiens français... des frères... frères en oppression, en défaites. Regardant par-dessus ses lunettes, il leur demandait :

— C'est pas une honte ce qu'ils leur font aux grévistes, à Granby ?

Ou encore, regardant au-dessus de son journal avant de le tourner avec un pouce humecté, il faisait une nouvelle tentative : « Et il y a aussi les Noirs qui sont nos frères. »

Il se calait dans sa chaise et attendait.

Si l'un des routiers lui répondait que c'était une « écœuranterie », comme tout le reste, et qu'un autre ricanait en disant qu'il avait assez à s'occuper de ses propres affaires, Tansky penchait sa tête poivre et sel. Il fallait alors lui rappeler que des hamburgers sans moutarde et sauce piquante, ce n'était pas aussi bon. Mais s'ils étaient sensibles à ses propos ou, éventualité plus probable, s'ils étaient malins, l'un répondait que la faute en était au système et un autre ajoutait que les choses changeraient après la guerre. Ils se voyaient alors servir des assiettes débordantes de frites et une deuxième tasse de café sans supplément.

— La vie, c'est quasiment un enfer, disait parfois un routier.

— Nous pouvons la changer. C'est à nous de la changer.

Ce souhait, Tansky le formulait avec ferveur.

Même en hiver, les habitués affrontaient le vent et la chaussée glissante pour faire le tour des énormes camions à remorque. Eux aussi, se disaient-ils, seraient maintenant millionnaires, philanthropes renommés, dirigeants écoutés, si seulement ils avaient consenti, pendant la prohibition, à faire de la contrebande d'alcool, à franchir la frontière dans des camions comme ceux-ci.

Une autre belle occasion de ratée.

Regardant et tapotant le camion ici et là, les habitués finissaient toujours par donner aux pneus un coup de pied mélancolique.

— Si seulement tu pouvais avoir ce qu'un de ces poids lourds consomme d'essence en une seule nuit!

— Bah! C'est pas une vie pour un homme qui a de la famille.

Les colporteurs, c'était une autre paire de manches. La plupart étaient membres de la tribu, ainsi que l'expliquait Miller. Même si un gars était assez stupide, assez *putz* pour ne pas deviner qu'un facies était juif ou si — comme Tansky par exemple — il soutenait avec indignation qu'une tête de Juif, ça n'existe pas, il ne pouvait s'empêcher de reconnaître une attitude israélite: les colporteurs téléphonaient à la maison avant même que de s'asseoir pour prendre une tasse de café; ils cherchaient des yeux des fanions ou des jouets à acheter comme souvenirs pour les enfants. Au surplus, ils ne perdaient pas de temps. Ils parcouraient leur carnet de commandes tout en mangeant, mordillant leur crayon, additionnant, soustrayant, marmottant. S'ils avaient en stock un article susceptible d'intéresser Tansky, ils essayaient de faire une vente sur-le-champ. En cas d'insuccès, ils se rattrapaient, parfois, en offrant aux habitués des complets ou des ustensiles de cuisine à prix réduits. Ceux qui aimaient les farces avaient toujours avec eux quelques-uns des « amuse-œil » qu'ils exhibaient, pour les attirer, devant les paysans de Saint-Jérôme et de Trois-Rivières, de Tadoussac et de Restigouche. On regarde dans une douille de porte-clefs et qu'est-ce qu'on voit ? Une femme nue qui ondule. On verse de l'eau de Seltz dans un gobelet. Qu'est-ce qui arrive à la femme reproduite sur la paroi ? Petit à petit, elle perd sa culotte.

À tous les colporteurs, Segal racontait la même blague en la désamorçant, comme toutes celles qu'il racontait, c'est-à-dire en en révélant en premier lieu le point d'impact.

— Vous connaissez celle-là, celle où il est dit : Bloomberg est mort ?

— Non, je ne crois pas.

Secoué par le rire, Segal plongeait dans l'histoire de ce vendeur itinérant et juif, un nommé Bloomberg, vigoureux comme un étalon. Il avait, justement, un phallus plus gros qu'un salami signé Coorsh, et il allait de ville en ville, vendant des pièces de drap de deuxième qualité. Jusqu'à son dernier souffle, il troussa les *shiksas* (les bonnes sœurs comprises) sur la couchette de son camion-boutique. Un autre vendeur, Motka Frish, se trouvait dans ce même trou minier du Labrador au moment où Bloomberg, tout robuste qu'il fût, rendit l'âme. Motka se rendit à la morgue où, sur une dalle de marbre, notre héros se trouvait étendu. « Jamais ma femme ne pourra croire qu'un homme puisse être ainsi équipé », se dit-il. Il coupe donc la merveille gigantesque. De retour à la maison, il déballe la chose et, avant qu'il ait eu le temps de parler, sa femme se met à hurler : « Bloomberg est mort ! Bloomberg est mort ! »

Encore secoué par le rire, Segal demandait : « Est-ce que vous en avez entendu une aussi bonne ces jours-ci ? »

Takifman était d'un tout autre genre. Il avait toujours quelque chose de sérieux à dire aux colporteurs. Au bord des larmes, il demandait : « Les Juifs, à Valleyfield, comment ça va pour eux ? » Si un colporteur arrivait d'Albany : « J'ai entendu dire que le maire d'Albany est antisémite ? »

— Bien, ils le sont tous, il me semble.

— Pas Laguardia. Le maire de New York est de première classe.

Avant de repartir, il arrivait souvent aux marchands ambulants de demander la monnaie de un ou deux dollars afin d'utiliser le téléphone public.

La cabine téléphonique, d'un brun galeux, était devenue une institution dans le quartier, tout le monde n'ayant pas le téléphone à l'époque. Ainsi, c'était de cette cabine achalandée qu'on appelait le médecin. « J'aime mieux payer cinq cents au téléphone public que de me sentir obligé pour le reste de mes jours au vieux pouilleux du premier étage. » D'autres venaient chez Tansky quand ils avaient un appel clandestin à faire ou, le jour du sabbat, quand il ne pouvaient se servir de leur propre téléphone à cause d'un père aux idées d'un autre âge. Si vous aviez un poste groupé, vous n'osiez pas téléphoner de chez vous pour appeler la société bénévole de prêts ou le service d'extermination hygiénique. Les garçons désireux de converser avec leurs petites amies en toute liberté avaient, eux aussi, recours au taxiphone malgré les quolibets que leur réservaient immanquablement les habitués.

Entre deux et quatre heures, les parieurs sur les courses de chevaux monopolisaient l'appareil. L'un d'eux, Sonny Markowitz, recevait un appel tous les jours à trois heures. C'était Nat qui allait répondre : « Bonne après-midi. Agence immobilière Morrow. Monsieur Morrow ? Un p'tit moment S.V.P. »

Markowitz s'emparait de l'appareil avec fébrilité : « Tellement content que tu aies appelé, chérie. Mais je suis occupé avec un client important. Oui, trésor. Tu penses ! Aussitôt que je pourrai. Hasta la vista ! »

On avait depuis longtemps, par tendance naturelle à la nervosité ou au vandalisme, gratté la peinture sur un des murs de la cabine. Certains avaient écrit des obscénités sur le métal mis à nu. Un soupirant déçu avait gravé avec une clef : « Molly est une putain. » En-dessous, Manny avait écrit : « Qu'elle m'appelle », et il avait ajouté son numéro de téléphone. Les graffiti avaient pour la plupart un caractère hautement pornographique, rehaussé de vantardise. Quelques-uns n'étaient que des scies à la mode du temps comme, par exemple, « *Kilroy was here* ».

Après chacune de ses querelles avec Joey, Sadie venait téléphoner chez Tansky. Robe d'intérieur plus ou moins ouverte, larmes aux yeux, voix hystérique que tout le monde pouvait entendre : « C'est arrivé encore une fois, m'man. Non, il n'avait pris aucune précaution, il ne voulait pas. Je lui ai raconté ce que le docteur avait dit. Bien oui, je lui ai répété. Savez-vous ce qu'il m'a répondu ? Pour qui te prends-tu ? Pour la synagogue B'nai Jacob ? Je peux pas entrer sans me couvrir ? Je te dis, m'man, c'est une brute. Je voudrais retourner chez nous. Non, c'est pas vrai. Je ne pourrais pas l'arrêter même si je voulais. Mais oui, j'avais pris une douche avant d'avoir eu Seymour. Comme tu vois, ça n'a rien empêché. Oui, m'man. Je vais lui dire. »

Jamais Sugarman n'entrait chez Tansky sans se traîner les pieds et sans vérifier, en premier lieu, si personne n'avait laissé une pièce dans le glissoir de l'appareil. Quant aux habitués, ils s'en tiraient sans frais : ils composaient le numéro de leur résidence ou du lieu de leur travail, accrochaient le combiné après la deuxième sonnerie, recueillaient la pièce déclenchée automatiquement et n'avaient plus qu'à attendre l'appel correspondant au code établi.

La gargote de Tansky n'était pas la seule du genre rue Saint-Urbain. Juste en face se trouvait celle de Myerson.

Myerson avait prévu des coussins pour les joueurs de cartes et il vendait certains articles moins cher que son rival, mais on le trouvait pisse-vinaigre, on s'en méfiait, ce qui ne faisait pas prospérer son commerce. Il avait quelques fidèles, c'est vrai ; certains clients faisaient la navette. C'est par hasard, cependant, qu'un routier ou un colporteur s'arrêtait chez Myerson.

Myerson, qui souvent se tenait sur le pas de sa porte et le nettoyait vigoureusement à grands coups de balai, apostrophait les clients qui se dirigeaient chez Tansky : « Hé, pourquoi vous ne traverseriez pas la rue pour une fois ? Je ne mords pas, vous savez. Et je n'empoisonne pas les gens. »

Myerson faisait passer sa rage sur le dos des réfugiés de guerre : « S'ils entrent ici, c'est pour demander leur chemin. Si c'est pour acheter un Coke, il leur faut une douzaine de verres. » Il n'était pas tendre pour les enfants, à qui il aimait répéter : « Savez-vous pourquoi vous êtes au monde? C'est parce que vos parents, y savaient pas que ça serait une erreur.»

Si nous venions lui demander des bouteilles vides, il nous retournait de belle façon: «Ici, vous saurez qu'on fait pas le commerce des objets volés. Allez donc chez Tansky.»

Nous trouvions passablement excitant le passage des routiers et des colporteurs rue Saint-Urbain — c'était l'école de la rue, comme disait Sugarman — mais il faut dire que, de temps à autre, il se produisait des accidents. Un jour, un garçon fut tué. Il était fils unique. Une autre fois, ce fut un vieillard. On avait beau réclamer et réclamer, on ne pouvait obtenir qu'ils installent des feux de circulation aux quatre coins de la rue.

— Quand une auto tue l'un des nôtres, vous pensez qu'ils s'en occupent? Qu'ils travailleront pour nous?

Tansky, lui, ne voyait pas d'antisémitisme dans cette négligence. Nous vivions dans un quartier d'ouvriers, de gens pas riches. D'après lui, c'était la seule raison.

La rue Saint-Urbain était l'une des cinq rues entre l'avenue du Parc et la *Main,* qui formaient le ghetto prolétaire.

Il faut dire qu'aux yeux d'un étranger de classe moyenne, les cinq rues auraient pu sembler interchangeables. À l'angle de chaque rue, un magasin de tabac, une épicerie et une fruiterie. Des escaliers extérieurs en abondance: en spirale ou en bois, rouillés ou branlants. Une suite sans fin de balcons délabrés mais bien fréquentés, interrompue seulement par quelques terrains vagues. Chaque rue entre l'avenue du Parc et la *Main* — nous, les garçons, le savions bien — représentait une subtile différence avec ses voisines du point de vue de l'argent. Il n'y avait pas deux logis sans eau chaude qui fussent pareils ni deux boutiques qui fussent exactement semblables. À *Best Fruit* on se faisait escroquer sur le poids mais *Smiley's* ne faisait crédit à personne.

Dans l'ensemble, la rue Saint-Urbain était la plus sympathique. Les résidents des rues situées à l'est, les à-bout-de-souffle, les emprunteurs, les *yentas,* les porteurs de puces et les endettés, les *goniffs* de Galicie, ne pouvaient se payer une journée à la campagne ou des fruits en conserve pour le dessert des grandes fêtes. Ils acceptaient à la pâque des colis de dames patronnesses (des chameaux d'Outremont) et s'imposaient sans invitation à des *bars-mitzrahs* et à des mariages, d'où ils rapportaient gâteaux, bouteilles et cuisses de poulet. Ils parlaient l'anglais moins bien que nous. De fait, ils n'étaient pas encore naturalisés ; c'étaient des simples et des naïfs. D'autre part, dans les rues du côté ouest, vous trouviez les ambitieux, les intrigants et les obséquieux. Les *pusherkes.*

Parmi les merveilles de notre rue Saint-Urbain, nous comptions un homme qui s'était présenté comme échevin avec une seule idée comme plate-forme électorale : les agents provinciaux de la circulation étaient des antisémites. Les hommes louchaient du côté de Yetta non pas parce qu'elle avait les yeux bigles mais bien parce qu'elle était, semi-professionnellement, ce qui s'appelle une putain. Pomerantz était un infirme de talent dont un poème qui n'était pas encore définitif avait été publié avant qu'il ne sombre et meure à l'âge de vingt-sept ans. Deux messieurs avaient fait la guerre en Espagne, lors de la guerre civile. Une jeune femme avait rencontré Danny Kaye dans les montagnes Catshill. Un garçon dont personne ne se souvenait était devenu professeur à l'école technique du Massachusetts.

Dicky Rubin avait épousé une *shiksa* à la *Unitarian Church.* Un boxeur avait eu sa cote publiée dans le *Ring.* Lazar, un vendeur chez *Best Fruit Grade,* avait obtenu une indemnité de deux mille cinq cents dollars après avoir été renversé par un tramway n° 43. Larry, le neveu de Hercovitch, dut aller en prison pour avoir livré des secrets militaires à la Russie. Une dame était non seulement divorcée ; elle ne le cachait point. Le père de A. D., lui, apportait la malchance partout où il passait. Et il y en avait combien d'autres !

Je suppose que la rue Saint-Urbain ressemblait à nombre de rues du ghetto de New York ou de celui de Chicago, mais avec une différence essentielle cependant. Nous étions des Canadiens et, par conséquent, nous avions un roi. Nous côtoyions aussi, dans les environs, ceux qu'on appelait les *pea soups,* c'est-à-dire les Canadiens français. Le roi ne s'était jamais promené rue Saint-Urbain mais il était passé tout près, un peu à l'ouest, lors de sa visite au Canada, juste avant la guerre. On nous avait libérés, à l'école, afin que nous puissions aller l'acclamer. (Si je me souviens bien, c'était le premier congé non réglementaire que l'école nous accordait depuis la venue de Buster Crabe, le Tarzan de l'époque, venu nous haranguer à l'occasion de la journée de la Jeunesse canadienne.)

— Il me semble *eppes,* un peu gris de teint, commenta Mme Takifman.

Mes amis et moi, nous placions des sous sur les rails afin de les faire aplatir par les trains de marchandises. La visite royale nous donna l'occasion de rouler les fils à papa d'Outremont et de leur vendre les sous cinq fois plus cher en prétendant qu'ils avaient été aplatis sous le train de Sa Majesté.

Bien avant cette visite, le prince de Galles était venu au Canada. Il avait assisté à une réunion Mizrachi, ce qui permit à ma mère — à ma mère et à des milliers et des milliers d'autres personnes — de lui serrer la main. À son abdication, elle nous apprit que même à l'époque il avait déjà le type romantique : « Vous pouviez le deviner à ses yeux. »

— Des yeux, il en a deux comme moi, après tout, dit mon père.

— Oui, c'est vrai. Et donc tu sacrifierais un trône à ton amour pour une femme ? Rien qu'à l'idée d'offrir ton siège dans un tramway, tu deviens tout pâle !

Une dame de la rue Saint-Urbain, Mme Miller de *Miller's Home Bakery,* confectionna un énorme *chaleh,* le plus gros que nous ayons jamais vu, et l'envoya au palais Buckingham, à temps pour l'anniversaire de la princesse Élizabeth. Elle reçut un mot de remerciements et sa photo parut dans les journaux. Aux reporters, elle prit bien soin de spécifier qu'en ce qui concernait la consommation locale, « nous faisons des *knishes* et fournissons tout ce qu'il faut pour les réceptions de mariage ».

Notre sentiment vis-à-vis de la famille royale en était un de bienveillance amusée : aucune incidence sur le prix des pommes de terre, aucune influence favorable ou défavorable sur l'implantation de l'État d'Israël (ce qui n'était pas le cas avec Churchill). On nous assurait que Georges VI n'était qu'une figure de proue. Nous pouvions bien nous permettre cette condescendance puisque nous avions eu nos rois, Salomon et David, entre autres. Nous avions bien apprécié Bette Davis dans le film *Elizabeth and Essex.* Nous nous étions sentis flattés quand Manny était devenu un *King's Scout.*

Tous les samedis, à la synagogue, nous souhaitions longue vie à la famille royale ; c'était par générosité, non par servilité. Générosité bien mal placée quand je pense que dans nos prières nous incluions aussi John Buchan, le premier Lord Tweedsmuir de Elsfield et vice-roi du Canada.

À l'époque, on nous enjoignait de révérer John Buchan. Avant qu'il ne vînt adresser la parole au *Junior Red Cross Prize Day,* on nous affirma qu'il incarnait les vertus anglaises suprêmes : équité, honnêteté, distinction. On ne nous prévint pas qu'à ces belles qualités il joignait également, et violemment, l'antisémitisme. Ce que je découvris en lisant *The Thirty-Nine Steps.* Dès le début du livre, on nous présente Scudder, espion brave et efficace que Richard Hanny, le héros, estime alerte, perspicace, désireux d'aller au fond des choses. Scudder raconte à Hanny que derrière tous les gouvernements et leurs armées agit toujours en sous-main une force puissante maniée par des gens extrêmement dangereux.

La plupart sont du genre anarchiste qui fait les révolutions, mais ils sont secondés par des financiers qui, eux, manipulent l'argent et, à leur manière, sont également des conspirateurs. Comme les premiers, ils veulent avoir la haute main sur les destinées de l'Europe.

Je demandai pourquoi. Il répondit que les anarchistes pensaient y voir l'occasion de faire naître un monde nouveau. Les capitalistes s'enrichiraient en achetant à vil prix des fonds de faillite. Le capital, disait-il, n'a ni conscience ni patrie. De plus, les Juifs sont l'éminence grise de ce mouvement et les Juifs détestent la Russie plus que tout.

Rien d'étonnant à cela, s'écria-t-il. Pendant trois cents ans, ils ont été persécutés et c'est maintenant pour eux l'occasion de revanche contre les progromes. Le Juif est partout, mais vous devez descendre au plus bas de l'escalier de service pour le rencontrer.

Prenez n'importe quelle grosse entreprise allemande. Vous établissez le contact avec, disons, le prince *von und zu Untel,* élégant jeune homme qui parle l'anglais avec l'accent de Eton et de Harrow. Mais il ne casse rien. Pour peu que vous ayez de l'importance, il s'écartera et vous vous trouverez en présence d'un Westphalien prognathe, aux sourcils en bataille, qui se conduit comme un malotru. Si vous êtes vraiment un monsieur très important et que vous deviez rencontrer le patron réel, il y a tout à parier que ce sera un petit Juif pâlot en fauteuil roulant, avec des yeux comme ceux d'un serpent à sonnettes. Oui, monsieur, voilà l'homme qui règne sur le monde à l'heure actuelle, avec son couteau planté dans l'empire du tzar parce que sa tante a été violée et son père fouetté dans un établissement minable le long de la Volga.

Tout désireux que je fusse de m'identifier à Hanny, soldat de fortune aux deux poings parés, je n'aurais pu le faire qu'en me trahissant. Mon grand-père — la paix soit avec Buchan! — avait fui la Russie justement de peur d'être fouetté dans un établissement minable le long de la Volga. C'est d'ailleurs pourquoi nous étions au Canada. Toutefois, je dois à Buchan l'image de mon grand-père en petit Juif pâlot, avec des yeux comme ceux d'un serpent à sonnettes. C'est une image que je fis mienne pour un temps hélas! ne serait-ce que parce que Hanny, si évidemment épris de justice et d'honnêteté, l'avait acceptée sans discussion.

En ce temps-là, les deux influences, l'américaine et l'anglaise, rivalisaient dans nos esprits. Nous souffrions d'une loyauté divisée. Nous aurions aimé, par exemple, que Tommy Farr réduise Joe Louis en pièces. Nous nous sentions reconnaissants à Donald Wolfitt de nous amener une troupe shakespearienne... bien que peu homogène ! George Formby, nous l'applaudissions tout autant avec nos pieds qu'avec nos mains au Forum. Nos meilleurs auteurs, Stephan Leacock, Hugh MacLennan et Robertson Davies étaient sans conteste dans la tradition anglaise. Notre dentiste était abonné à l'*Illustrated London News* et nous lisions tous les commentaires sirupeux de Beverly Baxter sur le compte des lords et ladies avec lesquels il avait mangé des fraises et sablé le champagne.

Les *pea soups* étaient tout juste bons pour faire l'entretien, nettoyer des brûleurs, ramoner des cheminées, conduire un ascenseur. On les disait menacés par la tuberculose, le rachitisme et la syphilis. Les femmes âgées lavaient les vitres et ciraient les sols en lino; les plus jeunes devenaient domestiques dans les maisons huppées d'Outremont, travaillaient à l'usine et vous accompagnaient au lit quand l'occasion s'en présentait. Les Canadiens français étaient nos *schwartzes*.

Zabitsky, qui avait de l'autorité, nous déclara un jour : «Vous savez, il y a un tunnel — c'est pas une chose que beaucoup de gens connaissent — un tunnel qui va du couvent des sœurs au presbytère. Et je vous passe un papier que c'est pas un tunnel contre les bombes qui vous tombent du ciel.»

Zabitsky nous raconta aussi qu'un enfant de chœur pouvait devenir le favori d'un évêque, qu'une robe de religieuse pouvait dissimuler une grossesse et qu'un orphelinat avait été spécialement construit à Saint-Jérôme pour recevoir les bâtards des prêtres.

Tout cela, Shapiro et mon père l'acceptaient comme parole d'Évangile. Segal, que la conversation enflammait, se mit à faire des blagues sur la crosse des évêques.

Si je me remémore la rue Saint-Urbain, cependant, je ne me souviens pas tellement des adultes que des enfants que nous avons été. La plupart du temps, nous nous assoyions dans les escaliers extérieurs, délicieusement occupés que nous étions à des riens légèrement idiots.

— Knock, knock.

— Qui est là?

— C'est Jean.

— Jean qui?

— Jean ai-par-dessus-la-tête.

Notre héros, c'était Zigby Freed, appelé Boule de feu, enrégimenté par un recruteur des *Dodgers* à l'âge de dix-huit ans, envoyé au Texas pour s'aguerrir dans une équipe de classe D, et licencié après une saison.

— Si vous pensez qu'ils donneraient à un Juif la chance de lancer pour de bon, là-bas! grondait-il. À la neuvième manche, avec tous les buts occupés, aucun homme retiré et leur spécialiste en homerun au bâton, l'escogriffe d'instructeur te crie: O.K. Zigby, tu vas nous faire voir ce que tu peux faire!

Notre petit monde l'était à un point incroyable. Ailleurs, il y avait les autres qui mangeaient des vers et du porc, commençaient une discussion en battant leurs femmes, et qui n'auraient pas levé le petit doigt pour que parmi leurs enfants on compte des médecins et des avocats. Ailleurs, nous allions avec crainte, et peu souvent. Notre petit monde, avec ses récompenses et ses punitions, était un monde entièrement juif. Si nous ne faisions pas nos prières, Dieu nous punirait. Parce que des enfants étaient affamés en Europe, nous ne devions pas laisser la moindre parcelle dans notre assiette.

Si vous aviez de bonnes notes sur votre *bar-mitzvah*, il était possible que votre oncle, celui qui avait de l'argent, vous achète un ensemble Parker 51.

Cet « ailleurs » était rempli d'embûches qui risquaient de provoquer votre perte. Dans notre monde, on pouvait voir la nuit, tout comme les pilotes de guerre, pourvu que le jour on mange des carottes. À la station CBM, Fibber McGee nous captivait tous les jeudis soir. Joe était toujours parti chercher une Dow. « Jamais dans le passé tellement (de gens) avaient-ils été aussi redevables à si peu (de gens). » V symbolisait la victoire. Le Rhin était sous bonne surveillance, grâce à Paul Lukas. Pour réussir, il n'y avait qu'à acheter à bon marché et à vendre cher. Dans la vie réelle, Superman n'était que le doux Clark Kent. Un homme comme Roosevelt, il en naît un tous les cent ans. Grattez à la surface du plus gentil des Gentils et vous découvrez vite le plus antisémite.

Après l'école, nous nous assoyions sur les marches, où nous parlions de tout, c'est-à-dire de rien d'important.

— Tarzan, si tu as remarqué, il ne va jamais se soulager.

— Et la *Wonder Woman*, alors ?

— C'est pas pareil, imbécile, c'est une dame.

— Mais prends Tarzan. Dans la jungle à longueur d'année, et pas une fois il va aux toilettes. Tu vas pas me dire que c'est naturel, ça ?

En été, nous achetions des vieux tuyaux au garage du coin et les apportions à la plage. Avec du bois de rebut et des patins à roulettes volés ou rescapés d'un dépôt de ferraille, nous fabriquions des scooters. Avec les fers à cheval usagés que nous chipions chez le maréchal-ferrant, nous organisions des jeux de lancer. Une chaussette remplie de bran de scie pouvait servir à un jeu de football élémentaire. Au plus fort de l'hiver, nous construisions une série de châteaux forts le long de la rue Saint-Urbain; divisés en deux camps, nous combattions ferme en criant: « Guadocanal ! Schweinhund ! Tu vas y goûter, mon cimetière ! » Pour jouer au hockey, nous avions de vraies crosses mais des charbons comme buts et des numéros de la revue *Macleans* comme jambières. Comme nous nous installions en pleine rue, il fallait interrompre notre jeu chaque fois qu'une voiture passait.

Nos goûts changèrent. Notre grande et quotidienne passion devint purement visuelle: Molly qui passait en fin de journée. À six heures cinq exactement, la vie s'arrêtait rue Saint-Urbain, quand Molly tournait le coin pour retourner chez elle. Elle était à remploi de *Susy's Smart Wear* où elle tapait lettres et factures et, à l'occasion, servait de mannequin pour des acheteurs de passage à Montréal. Les habitués de la salle Laurier étaient irrésistiblement attirés à la fenêtre, leurs queues de billard en main.

— La voilà. Ponctuelle comme un militaire.

— Militaire ? Je m'enrôle tout de suite. Hé ! Molly, ma belle, je pourrais te donner de quoi boire et manger !

Talons aiguilles, longues jambes profilées, hanches ondulentes. Lefty soupira.

— Vous auriez dû être ici, hier.

— Alors quoi, hier?

— Hier, il y avait du vent. Et elle portait un jupon noir avec des p'tits bouts de fanfreluches.

Les yeux qui lui louchaient, la langue pendante, serrant la queue de billard entre ses cuisses, Jerry eut un geste osé qui fit bien rire les autres.

— Hé! demanda Morty, je gage que vous autres, les gars, vous ne savez pas du tout pourquoi, dans l'armée, ils vous mettent du salpêtre dans vos cigarettes?

Pendant ce temps, la belle passante continuait son chemin, laissant, comme pour se faire désirer plus longtemps, un sillage de muguet.

— Vous avez entendu parler de ce qui s'appelle *Spanish Fly*? Je ne dis pas que j'y crois mais Lou m'a juré que...

— Ah! tu es mieux de rentrer chez vous et d'aller crever tes boutons. C'est rien que des menteries, cette affaire-là.

Molly a traversé la rue, près de *Myerson's*.

— Oh oh! Prends-en bien soin de ton beau p'tit trésor.

Les voitures stoppent, les fenêtres s'ouvrent.

— Minou, minou! Viens ici, beau minou!

On entend Myerson qui traite un des gamins de cochon et lui dit d'enlever ses mains de ses poches.

La belle est maintenant devant *Best Grade Fruit*.

— Tu vois ce bel ananas à deux pattes?

— Je te mets au défi de lui parler.

Molly s'arrête, hésite, se penche, redresse la couture d'un de ses bas.

— Tu sais, Bernie, je donnerais un an de ma vie... Heu, peut-être pas un an...

— Alors, mets-toi en rang comme tout le monde. Chacun son tour.

Les talons de Molly résonnent sur le ciment. Sous sa robe, son derrière ondule joliment.

Myrna fait une moue: «Si je consentais à porter une robe aussi serrée que la sienne...»

— Elle fait pas seulement de l'annonce avec une jupe comme ça, remarque Gitel. Elle passe de porte en porte.

— Je te garantis que tous les garçons que je voudrais seraient à mes trousses.

Au poste *Triangle Taxi*, Max Kravitz imprime un demi-tour à sa casquette: «Périscope en surface», dit-il faisant mine d'ajuster un instrument imaginaire.

— Longitude zéro, commente Korbec, latitude 38-29-38. Cheminées jumelles.

— Ach, oui. Cuirassé lourd. Apprêtez torpilles.

— Apprêtez torpilles, les gars.

— Torpilles prêtes.

Le mot se répète jusqu'à Cooper, le dernier chauffeur, qui rigole: «Si vous voulez mon opinion, tous les périscopes font surface et les torpilles sont...»

Une pause.

— Nu?

— Le cuirassé est touché.

— Heil Hitler!

Le «cuirassé» entre chez Tansky afin de faire le plein: un paquet de Sen-sen, un paquet de cigarettes à bout filtre, le dernier numéro de *Silver Screen*. Takifman ajuste sa cravate et Segal cherche discrètement à vérifier, de sa main tavelée, si sa braguette est bien fermée.

— Moi, je serais son père qu'avant de la laisser se promener comme ça dans les rues, je lui donnerais une bonne volée sur les fesses.

— Moi aussi, approuve Segal goulûment.

La rue Saint-Urbain nous semblait inviolable. Il en était sorti des personnalités qui comptaient parmi les plus instruites de la province, des artistes de talent, des étudiants en médecine, rien que des gens bien, et qui croyaient en Dieu. Il y avait une petite ombre au tableau: Mme Boyer, la *meshugena,* se promenant dans la rue en robe de nuit et chantant *Jesus Loves Me.* Il est vrai aussi que nos proprios, dans l'ensemble, étaient sans scrupules et que les Polonais, les Bulgares et autres racailles commençaient à s'immiscer ici et là. Quand ce gentil jeune homme de l'émission *Vox Pop,* du poste CHFD demanda à Ginsburg s'il croyait que le Canada devrait avoir son propre drapeau, celui-ci n'aurait pas dû répondre: «Vous ferez ce que vous voudrez. Nous avons déjà un drapeau.» Pas à la radio, en tout cas. Il est vrai aussi que Stanley, le fils de Sugarman, avait dû passer six mois à l'ombre de Saint-Vincent-de-Paul pour avoir acheté de la marchandise volée, mais pendant tout ce temps il refusa de manger des aliments qui n'étaient pas casher. Nous, de la rue Saint-Urbain, avions bien nos défauts, mais nous étions à l'abri de toute critique sérieuse.

Et puis, un jour, le ciel passa au noir, le tonnerre éclata: la revue *Time* avait publié un article sur notre rue. Depuis plusieurs années, nous avions élu des communistes pour nous représenter à Ottawa et à Québec. Or notre député venait d'être arrêté pour avoir espionné et avoir communiqué des secrets nucléaires. La revue avait scruté le passé de l'accusé et décrit la rue Saint-Urbain comme un pavé de l'enfer. Vieux scandales d'élections, grèves, problèmes du logement, tout fut ramené sur le tapis. Il n'était pas étonnant que dans un tel climat, concluait l'article, le communisme ait pu fleurir à ce point.

La revue accusatrice passa de main en main.

— La sor-di-di-té, qu'est-ce que ça veut dire ?

— *Shmutz.*

— Alors, nous sommes sales ? Chez moi, on pourrait manger par terre.

— Alors, nous sommes pauvres ? Moi, je pourrais entrer dans n'importe quel *delicatessen* que tu pourrais nommer et me commander le meilleur repas au menu.

— Chez moi, il y a toujours de quoi faire un *Shabbus.* Si je te montrais les factures de chez mon boucher, tu perdrais connaissance.

— Cet article-là est bête. En plus, c'est insultant.

— Tu veux dire que c'est diffamatoire. Nous devrions consulter Lubin, l'avocat.

— Voyons, tu ne te sers pas d'un p'tit avocat pour chiens écrasés dans un cas aussi important. Ce qu'il faut, c'est un gars de la même trempe qu'eux, un gros bonnet.

— Rosenberg, alors ? Il est C.R.

— Ouais. Tout le monde sait comment il l'a eu, son C.R. Il nous faudrait un *goy*.

Takifman rumina un peu en pinçant les lèvres. Finalement il laissa tomber :

— Un Juif n'est jamais pauvre.

— Ah ! Écoutez-le, Takifman le fanatique. Nous avons la Torah, c'est vrai. Essaie donc de t'en servir comme garantie à la Banque du Canada !

— C'est honteux, s'exclama Takifman, bouleversé.

— Écoute-moi. Le *Time* s'occupe des affaires courantes. La Torah s'occupe du passé. Or, nous discutons du présent. Et d'argent.

— On ne doit pas rire quand on parle de la Torah.

— Mais comment ne pas rire de toi, Takifman!

— Un Juif n'est jamais pauvre, répéta Takifman. Il est sans argent, des fois? Oui. Il passe par des moments difficiles? Peut-être. Il est sans patrie? Toujours. Mais il n'est jamais pauvre.

Tansky promena son torchon sur le comptoir.

— Nous sommes comme tout le monde! cria-t-il.

— Qu'est-ce qui te prend?

— Écoutez, vous autres. je ne suis pas d'accord avec notre grand rabbin Takifman. Je pense que nous sommes comme...

— Je vais te dire, Tansky. Ce que tu penses, c'est des singeries et tu peux te les mettre là où tu penses.

Après avoir lu l'article, Sugarman demanda: «Je ne vois pas pourquoi vous vous excitez autant? Vous ne voyez pas que cette revue est remplie d'annonces?» Et devant la surprise des autres, il ajouta: «D'après ce que me dit mon fils, qui est bien placé pour le savoir, ces revues et ces magazines sont dominés par les gros annonceurs, qui leur disent ce qu'il faut imprimer.»

— Tu veux dire, alors, que ce sont les annonceurs qui nous disent qu'on est du monde sale et qu'on est pauvre?

— Si on était à la radio, tu aurais gagné soixante-quatre dollars pour cette bonne réponse.

— Tu parles comme ça sans savoir, comme si tu savais tout.

— Moi? J'ai prétendu que je savais tout? Tout ce que j'ai dit, c'est que d'après mon fils ce sont les annonceurs qui...

— Les Juifs et les artistes ne sont jamais pauvres, renchérit Takifman. Comment pourraient-ils l'être?

— Ce que vous êtes bêtes, tous vous autres, vociféra Tansky. Nous sommes faits comme tout le monde.

— Un Juif n'est jamais pauvre. C'est pas possible, ça pourrait pas l'être.

2

Au cours d'une de ses visites mensuelles, le docteur Katzman découvrit un début de gangrène. « Elle n'en a pas pour plus d'un mois », prononça-t-il.

Ce qu'il répéta le mois suivant et les mois qui suivirent. Dans la chaleur de la chambre arrière, ma grand-mère reposait sur ce qui était censé être son lit de mort à brève échéance.

— Pour l'amour du bon Dieu, dit ma mère, voulez-vous bien me dire pourquoi elle s'accroche autant à la vie ?

Cet été-là, vu que grand-mère était supposée plus près de la mort que de la vie, nous n'allâmes pas dans un chalet des Laurentides, dont nous devions partager la location avec les Greenbaum. Grand-mère, alitée depuis sept ans déjà, ne pourrait pas être transportée cette fois. Le médecin venait deux fois la semaine. Il n'y avait qu'à rester en ville et attendre qu'elle meure, qu'elle trépasse, comme disait ma mère.

Il faisait particulièrement chaud, cet été-là. La chambre de grand-mère était située juste derrière la cuisine, de sorte que lorsque nous étions à table nous pouvions sentir son odeur. Il fallait changer le pansement de sa jambe gauche plusieurs fois par jour et, selon le bon docteur, n'importe quel jour pourrait être son dernier. Sentencieusement, il ajoutait: « C'est Dieu tout-puissant qui, maintenant, va décider de son sort. »

— Elle n'en a pas pour longtemps, dit mon père, et, sans vouloir sa mort, ce sera bien mieux pour elle.

À midi moins cinq... Disons d'abord que tous les jours, une infirmière de la *Royal Victorian Order* arrivait ponctuellement à midi. Et donc, à moins cinq, exactement, les autres garçons se joignaient à moi sous l'escalier extérieur. (Aujourd'hui, on nous appellerait joliment du nom de voyeurs. À l'époque, nous n'étions que des voyous.) Miss Bailey portait toujours une séduisante culotte rose, ourlée de dentelle. Dessous plus agréable, certes, que l'énorme culotte bouffante en coton dont ma cousine Bessie se couvrait en tout temps.

Ma mère m'envoyait jouer dehors le plus souvent possible, estimant qu'il n'était pas sain pour moi de voir la mort d'aussi près jour après jour. Habituellement, je ne faisais que déambuler le long des rues brûlantes. Nous étions cinq ou six à flâner: Duddy, Hershey, Stan, Arty, moi-même et, parfois, le dénommé Gas.

Duddy crut bon de me renseigner.

— Avant que ta grand-mère lève les pattes, elle va rouler les yeux et elle va gargouiller. C'est ce qui s'appelle le râle de la mort.

— Aye! Tu connais tout ça, *Putz*?

— C'est parce que je l'ai lu, innocent. Dans Perry Mason, ajouta Duddy en me donnant une bourrade.

De retour à la maison, je retrouvais une mère au visage long, aux traits fatigués. Il lui arrivait de pleurer.

— Elle est là, prête à mourir, et jamais aucun d'eux ne vient la voir.

Nous étions en pleine canicule. L'air était aussi étouffant, ce soir-là, qu'il l'avait été tout le jour. Avec toute la véhémente nervosité que provoque la chaleur excessive, ma mère invectiva en yiddish contre les absents.

— Il est sûr, ajouta mon père, qu'ils ne se conduisent pas comme ils devraient. Certainement pas d'après Hoyle.

Le docteur Katzman fut étonné une fois de plus.

— C'est uniquement la volonté qui la maintient en vie, dit-il. La volonté et vos bons soins.

— Ce n'est plus ma mère, docteur, qui résiste à la mort dans cette chambre, dit mon père. C'est un pur animal. Docteur, je voudrais qu'elle meure.

— Chut ! Vous êtes fatigué... vous dépassez votre pensée.

Le docteur Katzman sortit de sa trousse des comprimés destinés à la malade et ajouta :

— Vous avez une femme remarquable.

— Vous trouvez ? dit mon père, un peu embarrassé.

— Elle était née pour devenir une infirmière.

Dans le noir, quand nous étions couchés, ma sœur et moi restions éveillés à parler de notre grand-mère.

— Après sa mort, dis-je un soir, ses cheveux vont continuer à pousser pendant encore vingt-quatre heures.

— Qui est-ce qui dit ça ?

— Duddy Kravitz... Hé ! Penses-tu que l'oncle Lou va venir de New York pour les funérailles ?

— Je suppose que oui.

— Tant mieux. Ça veut dire un beau cinq dollars pour moi. Et même un peu plus pour toi.

— Tu ne devrais pas dire des choses pareilles si tu ne veux pas que son fantôme vienne te hanter plus tard.

— En tout cas, je vais pouvoir aller à son enterrement. Avant, j'aurais été trop jeune.

Je n'avais que six ans à la mort de mon grand-père et c'est pourquoi je n'avais pu assister à ses funérailles.

De mon ancêtre je gardais un souvenir en particulier, et impérissable. Un jour, il m'appela dans son bureau, me fit asseoir sur ses genoux. Pour m'amuser, il dessina un cheval et, sur le cheval, un cavalier. À mon grand amusement, il transforma le cavalier en barbu, puis il le coiffa d'un *straimel*, le bonnet rond des rabbins bordé de fourrure, comme celui qu'il portait.

Mon grand-père avait été un *Zaddick*, un des Justes, et on m'a dit qu'il était extrêmement stimulant d'étudier le Talmud avec lui. Je ne pus assister à ses funérailles, mais j'eus l'occasion, plus tard, de lire les télégrammes de condoléances venus d'Irlande, de Pologne et même du Japon. Mon grand-père avait écrit plusieurs livres: une traduction du Livre des Splendeurs (le Zohar) en hébreu moderne, ouvrage qu'il avait mis vingt ans à écrire, et un tas d'ouvrages plus minces, exégèse rabbinique, recueils de sermons, contes hébraïques, ouvrages qui avaient été publiés à Varsovie et, plus tard, à New York.

— Aux funérailles, me dit ma mère, il a fallu six agents en moto pour maintenir l'ordre. Il faisait une telle chaleur que douze femmes ont perdu connaissance. Naturellement, je ne compte pas notre voisine d'au-dessus, Mme Waxman. Avec elle, je te dis, n'importe quelle excuse est bonne pour se laisser tomber dans les bras d'un homme, même quand c'est Pinsky. Ah ! puis, je ne te l'ai peut-être pas dit, il y avait, en plus, un prêtre canadien-français.

— Aye! C'est une blague, m'man?

— Non, mon garçon. Et pas n'importe qui. Je pense que c'était un évêque. Il avait étudié avec le *zeyda*. Le *zeyda*, tu sais, avait une forte personnalité. Rempli d'idéal, et beaucoup d'expérience avec ça. Des hommes comme lui, il ne s'en fait plus. Les rabbins et les p'tits pains chauds, de nos jours, c'est le même prix.

D'après mon père, cependant, son beau-père le *zeyda* n'avait pas été aussi parfait que cela.

— Il y a certaines choses que je pourrais te dire, me confia-t-il. Il était plus compliqué qu'il n'en avait l'air.

Mon grand-père descendait d'une génération de rabbins et le plus jeune de ses fils était rabbin mais aucun de ses petits-enfants ne le deviendrait. Mon cousin Jerry était déjà un socialiste militant. Au moment de la grève des boulangers casher, il se prononça nettement contre le *zeyda*:

— Il les a critiqués en public et dans les *shuls*. Cela lui importait peu, le fait que ces hommes étaient très mal payés. Tout ce qu'il voulait, c'était que ses fidèles superstitieux aient du pain. Mon grand-père, avait conclu Jerry, était un réactionnaire de la plus belle eau.

Une semaine après la mort de mon grand-père, ma grand-mère subit une attaque qui lui paralysa complètement le côté droit et lui enleva la parole. Il est vrai qu'au début elle pouvait prononcer un ou deux mots compréhensibles et remuer la main droite suffisamment pour écrire son nom en hébreu; elle s'appelait Malka. Mais son état se détériora de plus en plus.

Ma grand-mère avait six enfants et sept beaux-fils et belles-filles nés d'un premier mariage de mon grand-père. La première femme de mon grand-père était morte dans « les vieux pays ». Deux ans plus tard, il avait épousé ma grand-mère, fille unique du citoyen le plus influent du *shtetl*, et leur mariage fut particulièrement réussi. Grand-mère avait été belle en son temps, en plus d'être une épouse patiente, perspicace et pleine de ressources. Les qualités qu'elle avait démontrées, je crains fort qu'elles ne lui aient été indispensables pour passer toute une vie aux côtés du Zaddik. La synagogue ne versait pas un fixe convenu ; une bonne partie de l'argent qu'il récoltait ici et là, il le distribuait habituellement parmi les étudiants rabbiniques, les veuves et les immigrants nécessiteux. Pour le responsable d'une famille dans la gêne, une telle générosité devenait un vice comparable à celui d'un buveur incorrigible. Tout comme la femme d'un ivrogne d'ailleurs, ma grand-mère devait aller porter ses bijoux, en vitesse et en secret, chez le prêteur sur gages. Bijoux qu'elle n'avait pas toujours été en mesure de récupérer. Du moins avait-elle pu s'occuper convenablement de ses enfants. Le plus jeune, qui était son favori, était rabbin à Boston ; le plus vieux était directeur-comédien pour le compte d'un théâtre yiddish à New York ; un autre était avocat. Une fille vivait à Montréal alors que deux autres habitaient Toronto. Ma mère se trouvait être la plus jeune des filles, et quand ma grand-mère eut une attaque, on tint un conseil de famille. Il y fut décidé que ce serait ma mère, précisément, qui en prendrait soin. La faute en revint à mon père, qui n'avait pas protesté — il détestait les querelles — alors que tous les autres maris objectèrent avec force que leurs femmes avaient déjà trop de travail et qu'elles ne pourraient pas s'en tirer. C'est ainsi que grand-mère vint habiter avec nous.

On m'avait promis la chambre sur la cour — la sienne — pour mon septième anniversaire, mais, dans les circonstances, je dus continuer à partager la même chambre que ma sœur. J'éprouvais donc du ressentiment d'avoir, chaque matin, à embrasser grand-mère, et quand ma mère l'exigeait. D'autant plus que le seul son qui pouvait sortir de la bouche de ma grand-mère était boïllo-boïllo.

Pendant ces premiers mois où l'espoir était permis, mon père disait: «Qui aurait dit, il y a vingt ans, qu'on pourrait guérir le diabète?» Et il ajoutait: «Tant qu'il y a de la vie, vous savez...» ce qui arrachait un sourire à ma grand-mère. L'effort qu'elle faisait pour pouvoir parler était visible dans ses yeux. Savait-elle que je comptais sur sa chambre? Je me le demandais parfois.

— Même après ces premiers mois, il lui arrivait de retenir ma main contre sa poitrine, d'un bras gauche surprenant de vigueur, et comme s'il y avait urgence. Mais à mesure que sa maladie traînait en longueur, elle devint un poids pour nous. Le problème qu'elle posait était sans espoir, et sans personne à blâmer, tout comme notre glacière qui coulait. Moins elle me reconnaissait et plus je redoutais d'aller dans sa chambre, le matin, lui donner un baiser qui devenait purement rituel. Il y avait, à droite du lit, toutes sortes de flacons et de fioles avec des filets de liquides sirupeux sur les étiquettes, et, à gauche, la chaise percée, qui était fendue. Il y avait surtout ses yeux vitreux et pourtant implorants, son sourire qui n'en était pas un et, contre ma joue, le bruit mouillé de ses lèvres déformées. Je ne voulais pas lui toucher. Après deux ans de cette épreuve quotidienne, j'essayai de contester auprès de ma mère l'obligation de m'y soumettre.

— À quoi ça sert de lui dire que je vais ici ou que je vais là? Elle ne me reconnaît même plus.

— Tu lui dois le respect. C'est ta grand-mère.

Mon oncle, celui qui faisait du théâtre à New York, envoyait régulièrement de l'argent pour l'entretien de ma grand-mère. Les autres enfants en firent autant au début, mais, passé l'intérêt et l'émotion que l'attaque avait suscités, ils ne vinrent que très rarement à la maison. Leurs visites hebdomadaires remplies de sollicitude — « ... et comment est-elle, la pauvre maman ? » — devinrent des visites mensuelles accomplies par devoir, puis des visites semi-annuelles toujours faites à la course, combinées avec je ne sais quels rendez-vous urgents.

Quand ils venaient, ma mère exposait ses doléances.

— Je dois la soulever à peu près trois ou quatre fois par jour pour la placer sur la chaise percée. Et il faut que je reste là, à attendre afin de l'empêcher de tomber. Des fois, je dois changer son linge deux fois par jour. J'aimerais bien voir ta femme s'occuper d'une corvée pareille, ajouta ma mère en s'adressant, cette fois-là, à mon oncle le rabbin.

— Nous pourrions l'envoyer à l'hospice.

— Ça, c'est une idée, dit mon père.

— Non, pas de mon vivant ! rétorqua ma mère. Elle jeta à mon père un regard furibond : « Voyons, dis quelque chose, Sam. »

— À quoi ça sert de nous disputer? Ça ne fait que causer de la rancune.

Pendant tout ce temps, le docteur Katzman venait une fois par mois et chaque fois il répétait :

— C'est surprenant. Elle a une résistance de cheval.

— Quelle vie ! répondait mon père. Peut pas parler, peut pas reconnaître qui que ce soit. Qu'est-ce que ça lui donne de vivre ?

Le médecin avait de la culture. Il donnait souvent des causeries à des associations féminines, traitant de littérature yiddish ou bien — et alors son visage devenait rouge de menace, sa voix s'assombrissait — du cancer qui guettait l'humanité entière. Mais tout ce qu'il trouvait à dire quand il parlait ainsi, c'était: « Qui sommes-nous pour porter jugement ? »

Pendant les premiers mois de la maladie de ma grand-mère, maman lui lisait tous les soirs une histoire de Sholem Aleichem. En sortant de la chambre, il lui arrivait d'annoncer avec un air de fierté, de défi: « Vous savez, elle a souri, ce soir. J'ai pu voir qu'elle avait tout compris. »

L'après-midi, s'il faisait particulièrement beau, ma mère faisait passer sa mère du lit au fauteuil roulant et lui faisait prendre du soleil. Une fois par semaine, elle lui donnait une manucure.

Il fallait toujours que quelqu'un fût là, au cas où ma grand-mère appellerait. Souvent, la nuit, elle se mettait à gémir sans raison apparente; ma mère se levait alors et venait la bercer dans ses bras pendant des heures. Mais quatre ans de ce régime commencèrent à miner la résistance de ma mère. C'est qu'elle avait également à tenir maison pour un mari et deux enfants. Mon père donc prit l'habitude, le soir, d'aller jouer aux cartes chez *Tansky's Cigar & Soda.* Le samedi, il m'amenait en visite chez ses frères et sœurs. Que ce fût chez l'un ou chez l'autre, il recevait des bribes de conseil:

— Sam, au train de vie que tu mènes tu serais aussi bien d'être célibataire. Qu'un autre des enfants se charge de la vieille pour quelque temps. Il va falloir, mon vieux, que tu prennes position.

— Ou que tu prennes la poudre d'escampette !

Ma cousine Libby, qui était étudiante à McGill, affirma que la situation pouvait avoir un effet sérieux sur le développement des enfants, qui en étaient à une période où l'évolution est décisive. Elle ajouta :

— Et, mon oncle, cette atmosphère de mort qui plane continuellement, cela ne...

— Ce qu'il te faut, interrompit mon père, c'est un beau garçon pour s'occuper de toi. Et même que ça presse !

Après le souper, ma mère s'endormait dans sa chaise, bien que l'émission dramatique commanditée à la radio par Lux ne fût pas terminée. Un moment, elle raccommodait mon pantalon ou dressait la liste des dames à inviter à une soirée de bingo au bénéfice de la *Talmud Torah* et l'instant d'après on l'entendait ronfler.

Ce qui devait arriver se produisit. Un matin, elle ne réussit pas à se lever. Le docteur fut obligé de venir la visiter une semaine avant sa visite régulière. « Il va falloir que je vous remette sur pied », dit-il en plaisantant. Puis il amena mon père dans la cuisine et lui annonça que sa femme faisait des pierres au foie.

Les enfants de ma grand-mère tinrent un autre conseil de famille, cette fois sans ma mère, et décidèrent de placer la vieille dame à l'hospice juif des vieillards, rue Esplanade. L'ambulance arriva pendant que ma mère dormait.

— C'est mieux ainsi, dit le docteur Katzman, mais mon père vit grand-mère qui s'agrippait avec ténacité à une colonne du lit, refusant d'être déplacée par les deux hommes en blanc.

— Doucement, la grand-mère, dit le plus jeune des deux.

Après son départ, mon père évita un tête-à-tête avec ma mère. Il préféra aller prendre l'air.

Quand ma mère se sentit rétablie, deux semaines plus tard, ses joues avaient retrouvé leur couleur. Pour la première fois depuis des mois, elle plaisanta avec moi. Elle devint de plus en plus curieuse au sujet de mes études et vit à ce que je cire mes chaussures régulièrement. Elle se mit de nouveau à préparer de bons petits plats pour mon père et renoua ses relations avec ces dames du conseil scolaire paroissial. Non seulement mon père se retrouva en meilleure disposition mais il se mit à revenir à la maison aussitôt après son travail et cessa d'aller chez Tansky tous les soirs. On ne faisait guère allusion à ma grand-mère. Un soir, pourtant, après une querelle avec ma sœur, je demandai :

— La chambre en arrière, pourquoi que je ne peux pas la prendre ?

— Toi, tu parles trop.

— Elle est vide, oui ou non ?

Le lendemain après-midi, ma mère revêtit sa plus belle robe, son plus beau manteau et son chapeau de printemps.

— Laisse, dit mon père. On est bien comme ça. Alors...

— Il y a un mois qu'elle est partie. Peut-être qu'ils ne la traitent pas comme il faut.

— C'est leur spécialité, les vieillards.

— Pensais-tu que je n'irais jamais la voir? Que j'étais une sans-cœur?

— Bon, vas-y.

Par la fenêtre il la regarda s'éloigner et murmura entre ses dents: «Il n'y a pas à dire, je suis né chanceux, c'est effrayant.»

Je m'assis sur le seuil. Des voitures passaient de temps en temps. Mon père, lui, attendit sur le balcon, en faisant craquer des cacahuètes. Il était six heures, davantage peut-être, quand l'ambulance tourna le coin, ralentit et s'arrêta juste devant la maison.

— Je le savais, dit mon père. J'ai toujours dit que j'étais né chanceux.

Ma mère sortit la première, les yeux rouges et enflés, et se dépêcha de monter afin de préparer le lit de grand-mère.

— Tu vas encore te rendre malade, lui dit mon père.

— Ça me fait de la peine pour toi, Sam, mais je ne pouvais pas faire autrement. Dès le moment où elle m'a aperçue, elle n'a pas arrêté de pleurer. Ça n'avait aucun sens.

— Mais ils ont des experts à l'hospice. Ils savent mieux que toi comment prendre soin d'une vieille femme malade.

— Des experts? Tu veux dire des experts en négligence criminelle. Elle a des plaies de lit, Sam. Ces sales petites infirmières irlandaises l'avaient prise en grippe. Je t'assure qu'elles ne changeaient pas son linge souvent! Elle a dû perdre vingt livres à l'hospice.

— Encore un mois et tu seras encore sur le dos. Ça, je peux t'en passer un papier si tu veux.

Mon père redevint un habitué chez Tansky. De nouveau, chaque matin, je dus aller embrasser ma grand-mère. Chose surprenante, elle commençait à ressembler à un homme. Des poils courts lui poussaient au menton et, sous le nez, lui faisaient une moustache piquante alors que, d'autre part, elle était devenue à peu près chauve.

De nouveau mes oncles et tantes continuèrent, bien que très irrégulièrement, à envoyer des billets de cinq dollars comme contribution à l'entretien de ma grand-mère. Des personnes âgées, anciennes adeptes de mon grand-père, vinrent s'informer de son état de santé. Elles s'assoyaient dans sa chambre et s'appuyaient sur leurs cannes en oscillant, ce qui les faisait appeler par mon père : les saints trembleurs. J'évitais ces vieillards ratatinés, au visage marqué, qui voulaient toujours me pincer les joues ou me faire éternuer en m'offrant du tabac à priser. La visite à ma grand-mère terminée, ces vieilles gens venaient infailliblement dans la cuisine passer une autre heure en compagnie de ma mère. Ils la regardaient faire du *lokshen,* versaient leur thé au citron dans les soucoupes pour mieux l'aspirer, tout en évoquant les dires, ouvrages et actions charitables du feu *Zaddik.* Ma mère aimait répéter une phrase qui avait fini, pour elle, par devenir un symbole : « Ils durent s'y prendre à six motocyclettes tellement il y avait de monde. »

Dans les deux années qui suivirent, l'état de ma grand-mère ne changea pas sensiblement, mais la fatigue, les accès d'humeur et même la morbidité s'emparèrent de ma mère. Elle se querellait avec ses frères et sœurs et, un jour, après une discussion particulièrement âpre, je la trouvai assise dans la cuisine se tenant la tête à deux mains.

— S'il m'arrivait — Dieu m'en protège ! — s'il m'arrivait d'avoir une attaque, me dit-elle, est-ce que tu m'enverrais à l'hospice des vieillards ?

— Mais non, m'man.

— J'espère que jamais, au grand jamais, je n'aurai à compter sur mes enfants pour quoi que ce soit.

C'était le septième été de la maladie de ma grand-mère. Elle était censée mourir, mais d'une journée à l'autre nous ne pouvions pas savoir quand cela se produirait. On m'envoyait souvent manger chez une de mes tantes ou chez mon autre grand-mère, de sorte que je n'étais pas souvent à la maison. À l'époque, en semaine, on laissait entrer les garçons gratuitement au terrain de baseball de la rue Delorimier sur le côté gauche réservé aux spectateurs. Duddy, quelquefois Gas, Hershey, Stan, Arty et moi avons passé plus d'un après-midi sur ce terrain. Les *Montreal Royals,* cheville ouvrière du système de recrutement des *Dodgers,* formaient une merveilleuse équipe : Jackie Robinson, Roy Campanella, Lou Ortiz, Red Durrett, Honest John Gabbard et Kermit Kitman, qui était notre héros. Cela nous donnait un vif plaisir que d'observer ce petit Juif astucieux se débrouiller si bien au milieu de ces grands athlètes un peu gourdes. « Hé, Kitman ! que nous lui criions, *shmo-head* ! Si seulement ton père savait que tu joues sur *shabbus.* » Kitman, hélas ! était brillant au champ mais nul au bâton et, pour cette raison, n'entra pas dans les « majeures ». « C'est tout pour aujourd'hui, Kermit Kitman », lancions-nous quand il venait d'être éliminé comme frappeur. « Le premier champion juif du *strike-out* de la Ligue internationale ! » Et nous y allions de nos imprécations, vociférées en yiddish.

C'est en revenant de la rue Delorimier, un vendredi après-midi, que je trouvai un rassemblement devant la maison. J'entendis chuchoter: «C'est le petit-fils.»

De vieilles gens se tenaient de l'autre côté de la rue, regardant la porte d'entrée. Un taxi s'arrêta et ma tante en sortit précipitamment, la visage caché dans ses mains.

— Après tant d'années! dit une femme en soupirant.

— Et ils découvriront probablement un remède l'an prochain. C'est toujours comme ça.

Le logis était rempli. Les oncles et les tantes du côté de mon père, des étrangers, le docteur Katzman, des voisins, passaient d'un groupe à l'autre, parlant à voix basse. Mon père, qui était dans la cuisine où il servait de la liqueur d'abricot, me dit: «Ta grand-mère est morte.»

— Où est m'man?

— Dans la chambre, avec... Il vaut mieux que tu n'y ailles pas.

— Je veux la voir.

Ma mère portait un châle noir. Elle regardait fixement un mouchoir entortillé qu'elle étreignait d'une main que depuis longtemps les détersifs avaient crevassée. «N'entre pas ici», me dit-elle.

Plusieurs messieurs à barbe, à dos voûté et à veste noire luisante, entouraient le lit. Je ne pouvais pas voir ma grand-mère.

— Ta grand-mère est morte.

— Papa me l'a dit.

— Va te laver le visage et te peigner.

— Oui.

— Tu devras t'arranger seul pour le souper.

— Oui, m'man.

— Attends. La *baba* a laissé quelques bijoux. Le collier revient à Rifka et la bague sera pour ta femme.

— Aye ! Qui c'est qui t'a dit que j'allais me marier ?

— Tu es mieux d'aller te laver le visage. N'oublie pas, s'il vous plaît : derrière les oreilles.

On envoya des télégrammes, on fit les appels interurbains indispensables. Pendant toute la soirée, des parents, des voisins et d'anciens adeptes du *Zaddik* se succédèrent. Finalement, le représentant de la maison funéraire arriva.

— Vous voyez entrer le seul homme d'affaires juif de la ville, remarqua Segal, qui voudrait n'avoir que des Allemands comme clients.

— Tu choisis mal ton moment pour plaisanter.

— Écoute, la vie continue, non ?

Jerry, mon cousin, qui commençait à affectionner un fume-cigarette, me dit : « Les bondieuseries vont commencer bientôt. »

— Les quoi ?

— Tout le monde va se mettre à chialer. Ça me révolte rien que d'y penser.

Le lendemain se trouvait un samedi, jour du sabbat. Ma grand-mère ne pourrait donc, selon la loi, être enterrée ce jour-là. Il faudrait qu'elle soit exposée toute la nuit. Deux dames grisonnantes, vêtues en blanc, vinrent déplacer et laver le corps de la défunte. Un pleureur professionnel arriva. Il devait la veiller et prier pour elle.

— Son visage ne m'inspire pas confiance, dit ma mère. Il va s'endormir.

— Mais non, il ne s'endormira pas.

— En tout cas, surveille-le, Sam.

— À l'heure qu'il est pour elle, les prières, tu sais... Bon, bon, d'accord, je vais le surveiller.

Mon père était furieux contre Segal: «À le voir se servir de la liqueur d'abricot, tu pourrais croire qu'il n'a jamais vu une bouteille de sa vie!»

On nous envoya au lit, Rifka et moi, mais nous ne pouvions pas dormir. Ma tante pleurait près du corps, dans le salon; le vieux pleureur priait, toussait et crachait dans son mouchoir chaque fois qu'il se réveillait. Dans la cuisine, mon père parlait à voix basse et maman gémissait. Rifka m'accorda quelques touches de sa cigarette.

— Alors, *pisherke,* c'est la dernière nuit que nous passons ensemble. Demain, tu pourras prendre la chambre en arrière.

— T'es pas folle?

— Tu l'as toujours voulue pour toi, non?

— C'est là qu'elle est morte.

— Et alors?

— Je ne pourrais pas y dormir.

— Bonsoir et bons rêves.

— Hé! on peut encore parler un moment.

— Est-ce que tu sais que quand on pend un homme, la dernière chose qui lui arrive, c'est un orgasme?

— Un quoi?

— Rien. J'oubliais que tu étais encore au jardin de l'enfance.

— Baise-moi le trou-la-la.

— Aux funérailles, ils vont ouvrir la bière et ils vont lui déposer de la saleté sur le visage. C'est censé être de la terre qui vient d'Eretz. Tu sais, ils rouvriront la bière et tu devras jeter un coup d'œil.

— Si tu penses!

Nous étions depuis quelque temps dans l'obscurité quand Rifka s'approcha de mon lit, la tête couverte d'un drap et les bras haut levés. « Boïllo-boïllo. Qui est-ce qui dort dans mon lit ? Ouaou-ouaou. »

Mon oncle comédien et ma tante de Toronto vinrent aux funérailles. Mon autre oncle, le rabbin, était également présent.

— Tout le temps qu'elle a vécu, s'exclama ma mère, il n'envoyait même pas cinq dollars par mois. Je ne le veux pas dans la maison, Sam. Je ne peux pas lui voir la face.

Le docteur Katzman intervint.

— Vous êtes bouleversée, et vous ne savez pas très bien ce que vous dites.

— Peut-être devriez-vous lui donner un calmant, dit le rabbin.

— Sam, veux-tu parler net pour une fois ? S'il te plaît.

Le teint plus vif que d'habitude, les yeux rougis, mon père se tourna vers le rabbin. « Je vais te le dire en pleine face, Israël, dit-il. Tu as baissé dans mon estime. »

Le rabbin sourit légèrement et mon père continua, son visage devenant écarlate :

— D'année en année, le bien que je pouvais penser de toi a perdu de sa valeur.

Ma mère se mit à pleurer et, contre son gré, on la mena au lit. Pendant que mon père faisait son possible pour la réconforter et chuchotait des mots apaisants, le médecin lui fit une piqûre au bras. « Voilà », fit-il.

J'allai m'asseoir sur le seuil en compagnie de Duddy. Mon oncle le rabbin et le docteur Katzman vinrent au soleil griller une cigarette. « Je sais exactement comment vous vous sentez, dit le médecin. Vous avez perdu un membre de votre famille et le monde semble indifférent à votre perte. Vous avez le cœur brisé et pourtant nous avons un temps splendide, une vraie journée d'été faite pour l'amour et le rire. Le contraste doit vous paraître cruel. » Le rabbin acquiesça de la tête, soupira, et le docteur Katzman reprit :

— Mais, en fait, il est remarquable qu'elle ait résisté aussi longtemps.

— Remarquable, dites-vous ? Il est écrit que lorsqu'un homme s'est marié deux fois il passera au paradis autant de temps avec sa femme qu'il en a passé sur la terre. Mon père — qu'il repose en paix — resta marié sept années avec sa première femme, et ma mère — qu'elle repose en paix — a pu rester veuve sept années. Maintenant, au paradis, elle pourra rejoindre mon père — qu'il repose en paix.

Le docteur Katzman secoua la tête. « C'est stupéfiant », dit-il. Il expliqua à mon oncle qu'il était en train d'écrire un livre fondé sur son expérience de guérisseur, *Les mystères du cœur humain.*

— Oui.

— Étonnant.

Mon père ouvrit la porte. Il paraissait nerveux.

— Docteur, s'il vous plaît. C'est au sujet de ma femme. Peut-être que l'injection n'était pas assez forte ? Elle n'arrête pas de pleurer. Les yeux lui coulent comme deux robinets. Voulez-vous venir ?

Le docteur s'excusa auprès de mon oncle.

— Mais naturellement, répondit mon oncle. Il se tourna vers Duddy et moi et nous demanda : « Eh bien ! les garçons, qu'est-ce que vous voulez devenir quand vous serez grands ? »

3

« COMMENT AURAIT-IL PU, demanda Tansky, créer cette pauvre terre en sept pauvres jours alors que même à l'heure scientifique des inventions modernes il faut plus de temps que cela pour construire une pauvre maison ? Peux-tu répondre à ça, espèce de grande gueule ? »

Tansky, un communiste convaincu, travaillait assidûment pendant les élections pour les candidats du Parti travailliste-progressiste, faisant des tournées électorales en faveur de Fred Rose et, après la condamnation de celui-ci posant des affiches pour le compte de Mike Buhay, ce Mike Buhay qui, à Londres, avait frayé avec Clem Atlee et Morrison.

— Tu as entendu ce que Maurice Hartt a eu à dire au sujet de Buhay et de votre parti ? Le Parti travailliste-progressiste, a-t-il déclaré, est autant un parti qu'Ex-Lax est du chocolat.

Hartt avait fait trébucher Buhay à l'Assemblée législative en lui demandant pourquoi il ne travaillait pas pour gagner sa vie.

— Parce que, avait répondu Buhay, je ne veux rien faire qui puisse contribuer au maintien du système capitaliste.

— Alors pourquoi, demanda Hartt, votre femme travaille-t-elle ?

— Eh bien ! Il faut que quelqu'un de la famille gagne de l'argent.

Les habitués toléraient les idées communistes de Tansky, mais n'y étaient pas sensibles.

— Si vous me demandez mon avis, disait Segal, tous les politiciens sont des voleurs. Des promesses tant que tu veux, avant les élections. La seule chose qui les intéresse, c'est de remplir leurs poches.

Tous les habitués ne s'abstenaient pas de voter comme Segal. Les parieurs sur les chevaux et la majorité des joueurs de *gin rummy* votaient infailliblement pour le candidat libéral.

— Hé ! ça ne ferait pas très bien pour nous, les Juifs, d'élire un autre communiste. Vous voyez ça d'ici ?

Le *Time* avait avancé que dans notre circonscription la grosse bataille se livrait entre libéraux et communistes. « La circonscription Cartier, aux votes majoritairement communistes — une anomalie dans le Québec conservateur — est lourdement industrialisée. Environ quarante pour cent des votants sont Canadiens français. Les communistes englobent les soixante pour cent qui restent et qui incluent des travailleurs juifs, ukrainiens, hongrois et polonais. Cartier englobe le quartier des asiles de nuit, des maisons de prostitution et des repaires de la pègre, quartier où les votes vont au plus offrant. »

Oui, mais...

La vérité, c'était que Lou et quelques autres votaient pour les libéraux parce que leurs fils, étudiants à McGill et sans argent, étaient rémunérés à chaque élection fédérale, provinciale ou municipale pour se rendre au cimetière munis de carnets où ils dressaient la liste de tous ceux qui étaient morts depuis le dernier recensement. D'autres étudiants étaient payés pour se présenter au bureau de vote au nom des trépassés, ce qui, naturellement, faisait entrer Tansky dans une sainte fureur.

— Disons les choses comme elles sont, dit Sugerman d'un ton conciliant. La plupart auraient voté pour les libéraux de toute façon.

— C'est typique de la corruption engendrée par le système démocratique. Soi-disant démocratique.

— On peut voir les choses d'une autre façon. En Russie, il n'y a pas de problème.

Tansky, le premier en date des nombreux communistes que j'ai connus, était toujours très gentil avec moi. Quand on m'envoyait faire des courses à son magasin, il me donnait un biscuit au chocolat ou encore une tablette de gomme à bulles. Une seule fois me demanda-t-il de me prononcer sur la politique.

— Bon! fit-il avec humeur en me voyant entrer. Demandez au garçon Hersh. Il peut nous le dire.

— Gwan. Qu'est-ce qu'il en sait?

— Écoute, mon bonhomme, me demanda Tansky, vous étudiez l'histoire du Canada à votre école?

— Oui, bien oui.

— Dis-moi ce que tu sais de la rébellion de Riel.

— Nous ne sommes pas encore rendus là.

— Cela ne me surprend pas. Dis-moi autre chose, maintenant. Est-ce qu'on raconte, dans ton manuel, que de sales aventuriers impérialistes comme Jacques Cartier ont menti aux Indiens, les ont trompés, exploités à droite et à gauche, ou est-ce qu'on vous dit que les soi-disant nobles explorateurs ont préservé le Canada contre les sauvages ?

— On dit que Jacques Cartier était un héros. La Salle, lui aussi. On dit qu'ils ont été très braves, face aux Indiens.

— Vous voyez ! À onze ans, ils ont déjà le crâne bourré par la propagande capitaliste. Je suis prêt à gager qu'il n'est pas dit dans leur manuel que tout en faisant de la publicité pour le christianisme on faisait aussi des fortunes avec le marché de la fourrure.

Moi, j'aimais bien Tansky. Mais il y avait des personnes, mes oncles entre autres, qui lui étaient hostiles parce qu'il mangeait du porc et s'en vantait et qu'il laissait sa gargote ouverte pendant le Yom Kippur. Ma famille était orthodoxe, elle désapprouvait le communisme mais sans trop savoir en quoi il consistait et quels en étaient les partisans véritables. Par exemple, on me donna l'impression que quiconque tordait le cou des poules au lieu de les faire abattre selon le rituel orthodoxe était communiste. En effet, quand je vis la mère de Bernie Huberman faire ce geste dans son arrière-cour, on me donna une explication positive : « C'est une communiste, une *roite.* »

Il se trouva que les gens qui vinrent s'installer à l'étage au-dessous étaient, tout comme Mme Huberdeau, des communistes ; on me prévint qu'il ne fallait pas leur adresser la parole. Ils arrivèrent un soir de mai, vers une heure du matin. J'avais eu la permission de veiller à cause de la vague de chaleur. Nous étions sur le balcon, à manger du melon d'eau et à passer jugement.

— Tu vois toutes ces petites boîtes qu'ils emménagent ? demanda Segal à voix basse.

— Oui, répondit mon père, devenu tout oreilles.

— Tu remarques qu'elles sont toutes de même grosseur ?

— Oui.

— Tu vois qu'elles sont toutes très lourdes ?

— Oui. Et alors ?

— Attends, tu verras, dit Segal en se berçant de nouveau.

Le soir suivant, nous pouvions entendre distinctement un bruit de roulement qui persista. Tous les mercredis soir, une camionnette venait prendre de petites boîtes.

— Ils ont une presse d'imprimerie, annonça mon père tout émotionné. Ils publient un journal clandestin. *Juste au-dessous de nous !*

À l'école paroissiale il n'y avait pas, à ma connaissance, de communistes déclarés, mais une fois que j'eus été promu à Fletcher's Field High, ils se sont multipliés. Prenez Danny Feldman, par exemple. Le nerveux et méprisant Danny, qui s'assoyait seulement deux rangs derrière moi dans la classe 41, était un membre en règle de la *Young Communist League* et nous le harcelions à cause de cela. Danny nous rendait la pareille en se moquant de notre enthousiasme pour les exploits de Maurice « Rocket » Richard, Johnny Greco et même Jackie Robinson.

— Qui est un *nigger*, objecta quelqu'un. Je croyais que tu sympathisais avec les *niggers*.

— C'est un Noir, pas un *nigger*. Est-ce que tu aimerais que je t'appelle un *kike* à la place d'un Juif ?

— Mange de la m...

Danny prétendait que le sport était un divertissement idiot, un truc pour nous faire oublier l'exploitation dont était victime la classe ouvrière à laquelle appartenaient nos parents. Et qu'ils en fussent conscients ou pas, Buddy O'Conner, Jerry Hefferman et Pete Morin, incomparables quand ils jouaient ensemble, n'étaient que des laquais de capitalistes.

Danny savait également comment indisposer nos professeurs. Il voulait savoir pourquoi nos manuels d'histoire ne mentionnaient pas Spartacus et négligeaient de commenter la tentative des Alliés pour renverser la révolution russe en 1919.

— Tu ne lis pas les livres qu'il faut, lui répondit notre professeur d'histoire.

— Ouais. Prends ton siège, sale communiste.

— Cotisons-nous, les gars, pour l'envoyer en Russie, suggéra Waddiya.

Danny endurait son martyre avec orgueil. Il s'introduisit en douce dans le Corps de cadets et dans le Conseil des étudiants. Du jour au lendemain, il devint un cadet « majeur », ayant accès à notre arsenal du sous-sol ; le Conseil des étudiants fit signer une pétition demandant la gratuité du lait aux repas et l'abolition de la punition corporelle. Cela se produisit du moment où, passant de l'état imberbe à l'état barbu et de neuvième en dixième, nous nous désintéressions de Rocket Richard et de son habileté à compter des points, au bénéfice de Lili Saint-Cyr et de son excitant numéro d'effeuillage au théâtre *Gaiety*. Notre nouveau sujet d'obsession — l'interprétation sans précédent de Mlle Saint-Cyr dansant Leda et le Cygne — ne trouva pas grâce, non plus, aux yeux de Danny.

— Jamais je n'ai rencontré un groupe de nigauds aussi décadents.

— L'as-tu vue au moins?

— Je t'assure qu'elle est... !

— Elle se rase le minou.

— Ce qu'elle fait, c'est de l'art. Et avec musique classique.

Danny nous imposa un sermon virulent sur les droits de la femme. L'effeuillage, selon lui, n'était qu'une autre forme que prenait la dégradation capitaliste. Se tournant vers Shubiner, il lui demanda: « Comment aimerais-tu voir ta mère se déshabiller sur la scène? »

Cette évocation inattendue du tour de taille de Mme Shubiner nous fit tous éclater de rire, exception faite de l'intéressé qui devint menaçant.

— Tu vas t'attirer un coup de poing sur le nez. Je t'avertis.

Il arriva que Danny et moi, nous découvrîmes que nous avions quelque chose en commun. Tous les deux, nous nous dissociions des autres quand on chantait *God Save the King* aux réunions d'élèves. Danny abhorrait toute forme de royauté et ne croyait pas en Dieu. Je ne voulais pas chanter *God save the King* parce que je désapprouvais la politique britannique en Palestine. Nous avions autre chose en commun, du moins je l'espérais. Pas plus tard que l'autre soir, Segal avait dit, tout en jouant au *gin rummy* avec mon père:

— Vous connaissez ces associations de jeunes communistes?

— Oui, avait dit mon père avec empressement.

— Vous savez qu'ils ont des réunions tous les vendredis soir?

— Oui. Alors?

— Oh! là là! Hou hou!

— Quoi, hou hou?

Segal pointa discrètement son cigare *White Owl* de mon côté.

— Va faire tes devoirs, m'ordonna mon père.

Maintenant, quand mes camarades harcèlent Danny, je prends instantanément sa défense.

— Laissez Danny s'expliquer. Nous sommes en pays libre.

— Qui dit ça?

— Danny ne vous a jamais rien fait.

— J'aime pas sa gueule. Elle me donne envie de renvoyer.

Danny et moi revenions ensemble de l'école et un jour je laissai entendre que j'aimerais rencontrer des garçons, des filles aussi, ajoutai-je, qui prenaient la vie plus au sérieux: il y avait autre chose que le sport. Là-dessus, je racontai à Danny une histoire juive cochonne, ce qui, dans mon idée, nous ramènerait à parler des filles. C'était l'histoire de Segal, qui se terminait avec la mort de Bloomberg, mais je n'avais pas dépassé la description anatomique de ce colporteur juif que Danny m'interrompait net:

— Sais-tu que tu es chauvin?

— Sans blague! Et... c'est mauvais?

— Eh bien! ce n'est pas ce qu'il y a de mieux. Écoute, ça t'intéresserait de venir à une de nos réunions, vendredi soir?

— Ça ne me déplairait pas.

Nous étions au mardi. Le lendemain, je me hâtai d'aller chez Irving le coiffeur pour me faire donner une coupe de cheveux, style Hollywood. Je me fis persuader qu'une emplâtre de boue constituait un traitement efficace contre l'acné déplaisante. Le jeudi, j'allai réclamer ma veste de sport chez le nettoyeur et m'acheter une cravate peinte à la main chez Morrie Heft. Le vendredi, j'enfilai le pantalon de mon complet neuf et une heure trop tôt j'étais prêt. Quand finalement Danny vint me chercher, je fus étonné de le voir dans le même vieux tricot malodorant qu'à l'école et le même pantalon défraîchi.

Il n'y avait pas d'alcool à la réunion. Il y avait bien un tourne-disque mais personne ne dansait le boogie. Une fille aux cheveux frisottés, assise par terre, grattait une guitare et dirigeait une séance de chant folklorique. *Joe Hill et Los Quatro Generales.* Quand ce fut mon tour de choisir un titre, je passai mon bras autour de la jeune fille qui était assise à côté de moi et demandai la chanson qui commençait ainsi :

Si toutes les filles étaient Heddy Lamarr.
Ce ne serait pas long avant que je démarre.

— Qui c'est qui a amené ça ici ? glapit une voix.

Je m'empressai de suggérer autre chose, une version fantaisiste de la chanson *Alouette* dont je donnai le début.

— Ferme-la, fit Danny en me donnant un coup de coude dans les côtes.

— Mais celle-là, elle est pas ce que...

— Il se trouve, dit sur un ton glacial la fille aux cheveux frisottés, que c'est une corruption de mauvais goût de l'une des rares chansons authentiques de notre folklore canadien-français.

4

La rue Saint-Laurent est située deux rues à l'est de la rue Saint-Urbain. Riche en surprises et en pittoresque, mais sordide aussi, sale et bruyante. Bruyante à l'extérieur, bruyante dans les boutiques et magasins où la marchandise, meubles ou légumes, est soit inesthétique, soit endommagée. Les pancartes annoncent encore : RABAIS FANTASTIQUES OU DEVONS TOUT LIQUIDER, mais les aubaines recherchées avec âpreté sont illusoires. Peut-être le sont-elles depuis toujours.

La *Main* répondait à tous les besoins. Elle avait pour but de soutirer un peu d'argent du pauvre, mais en même temps elle nous amusait, nous instruisait et nous réconfortait. De l'autre côté de la synagogue, vous pouviez lire LE FILM QU'ON PRÉTENDAIT IMPOSSIBLE À TOURNER. Un peu plus au sud, en allant vers l'ouest, se trouvait le Cercle des ouvriers et, pour les amateurs, les spectacles d'effeuillage du *Gaiety*: Peaches, Margo, Lili Saint-Cyr. Au tournant, il y avait les bains rituels, le *shvitz* ou le *mikva* où mon grand-père et ses copains se rendaient avant les Grandes Fêtes; rouges comme des homards après un bain de vapeur maximum, ils se fouettaient gaiement à l'aide de brosses façonnées avec des branches de pin. Les femmes les plus orthodoxes se rendaient aux bains une fois par mois afin de se purifier.

C'était *sur la Main* que chaque année, avant les Grandes Fêtes, on m'amenait pour l'achat d'un nouvel habit (en tweed bon marché, source de démangeaison et de supplice) et de chaussures neuves (avec craquement «intégré»). C'était également *sur la Main* que nous faisions notre marché (ce qui signifiait: attention à la pesée). *Sur la Main* se trouvaient également la blanchisserie chinoise — «Avez-vous jamais vu quelqu'un travailler aussi fort que les Chinois?» — ainsi que le dégraisseur de chapeaux — «Tony est un bon *gov*, vous savez. Il était contre Mussolini dès le début.» On voyait même des prêtres canadiens-français se promenant *sur la Main* — «Quelques-uns parlent l'hébreu maintenant. Eh bien ! si vous me demandez mon avis, ça n'est pas de leurs affaires. Vous savez, il y a des limites.» Des gamins, comme moi-même, étaient traînaillés dans les boutiques et chargés de paquets. Les vieillards nous donnaient du tabac à priser; à la charcuterie, on nous donnait les bouts du salami; les joueurs de cartes nous offraient des friandises pour s'attirer la chance; partout où nous allions, les mères de famille nous distribuaient des bourrades ou nous pinçaient les joues. Le plus grand bien qu'on pouvait dire de nous, c'était: «Il a bon appétit, touchons du bois», et, plus tard, quand nous allions à l'école: «C'est un des premiers de classe.»

Une fois le marché et les courses terminés, nous retournions à la *Main* soit pour une demi-journée de travail, soit pour aller étudier avec notre *melamud*. Le travail occasionnel *sur la Main* consistait à mettre les quilles en place pour les joueurs, à recouvrer les factures d'un boucher et, mieux que tout, à vendre les journaux, ce qui permettait de dévorer le *Police Gazette* à l'œil, c'est le cas de le dire, et d'escroquer un peu de menue monnaie aux heures de pointe. Travailler, voilà qui était excellent, supposait-on en haut lieu, pour faciliter la formation du caractère; la rémunération, par elle-même, était accessoire. On ne devenait apte à un emploi qu'en étant «débrouillard, ambitieux et désireux d'apprendre». Une fois, je vis une annonce dans la vitrine d'un marchand de chaussures, qui se lisait comme suit:

VU L'EXPANSION DE NOS AFFAIRES, AVONS BESOIN D'UN JEUNE GARÇON À TEMPS PARTIEL. EXPÉRIENCE ABSOLUMENT NÉCESSAIRE MAIS NON ESSENTIELLE.

Une fois les devoirs et petits travaux terminés, nous allions de par les rues en petits groupes, fumant des cigarettes Turret et posant des devinettes.

— Hé! *shmo-hawk,* quelle est la différence entre une boîte aux lettres et un cul d'éléphant?

— Sais pas.

— Eh bien! je ne t'enverrais pas poster mes lettres.

Quand les filles d'usines canadiennes-françaises passaient bras dessus, bras dessous, nous criions: « J'ai le temps voulu si tu peux fournir l'endroit.»

Shabbus nous retournions de nouveau *sur la Main* et à la *Young Israel Synagogue* originelle. Pendant que nos pères et grands-pères priaient dans la salle poussiéreuse du bas ou spéculaient sur la guerre en Europe, nous faisions des exercices d'assouplissement dans l'attique et échangions des blagues du genre: «Confucius a dit...»

ou « Il y avait une fois un Anglais, un Irlandais et un Juif... »

Quand nous voulions nous bagarrer avec les *pea soups*, nous retournions de nouveau *sur la Main*. Autant que je me souvienne, l'hiver était la saison indiquée pour cette sorte de sport. Nous pouvions alors lancer des boules de neige renforcées de glace ou de « pâtés » de cheval et, grâce à la tombée hâtive de la nuit, échapper facilement à nos poursuivants. Nous développâmes bientôt une technique de bataille qui nous servit même au printemps. Trois d'entre nous se cachaient sous un escalier extérieur pendant qu'un quatrième membre du groupe, nommé Eddy, restait sur le trottoir à jouer les désœuvrés de façon provocante. Eddy avait bien une tête et demie de moins que nous. (La faute en revenait à sa mère, selon la rumeur. Elle s'était opposée à l'ablation de ses amygdales et en avait fait un avorton. Ce n'est pas que la mère d'Eddy se méfiât de la chirurgie, c'est qu'Eddy faisait partie du chœur d'une riche synagogue ; on redoutait qu'avec les amygdales s'envolât également sa belle voix.) Eddy se tenait seul sur le trottoir et, quand le premier *pea soup* solitaire passait, il lui donnait un coup de pied sur le tibia puis l'apostrophait : « Ta mère est une bonne botte. »

Le *pea soup* regardait le petit Eddy de haut et le frappait. Alors, et seulement alors, sortions-nous de notre cachette.

— Hé ! c'est mon p'tit frère que tu viens de battre.

Avant que le *pea soup* déconcerté ait eu le temps de protester, nous lui sautions dessus.

Ces bagarres et toutes les autres étaient dues beaucoup plus à l'ennui, toutefois, qu'à la haine raciale, ce qui ne veut pas dire qu'il n'y eût pas de problèmes de cet ordre *sur la Main.*

La *Main,* rue des pauvres, était aussi une rue de démarcation. Plus bas, à l'est, les Canadiens français. Plus haut, à une certaine distance, les redoutés WASPS (protestants anglo-saxons de race blanche). *Sur la Main* elle-même, il y avait des Italiens, des Yougoslaves et des Ukrainiens, mais ils n'étaient pas considérés comme de véritables Gentils. Même les Canadiens français, nos ennemis pourtant, nous ne les détestions pas à mort. Comme nous, ils étaient pauvres et communs, ils avaient des familles nombreuses et parlaient mal l'anglais.

Il est facile de comprendre, rétrospectivement, que la source réelle des difficultés, c'était le manque de dialogue entre nous et les Canadiens français. Nous nous repoussions des coudes ; c'était à qui gagnerait d'être accepté par les WASPS. Aux préjugés des Canadiens français, nous opposions nos propres préjugés. Si nombre d'entre eux étaient persuadés que les Juifs de la rue Saint-Urbain étaient secrètement riches, eh bien ! le Canadien français typique était pour moi mâcheur de gomme et faible d'esprit. Il coiffait ses cheveux graisseux avec une raie au milieu et affectionnait, en plus, une moustache taillée en coup de crayon. Le pantalon *zoot* qu'il ceinturait juste en dessous du sternum se terminait en fuseau et collait aux chevilles. Le crétin qui obligeait votre oncle à patienter à la Régie des alcools pendant qu'il essayait sans succès d'additionner trois nombres, c'était lui. S'il était employé aux douanes, il ne savait jamais quelle formule vous remettre. De plus, il tenait son emploi à la Régie ou à la douane ou dans tout autre service gouvernemental du seul fait qu'il était le second cousin d'un notaire de campagne qui avait assuré pendant une génération le maintien dans son village d'un vote en faveur de l'Union nationale. D'autres Canadiens français étaient agents de la circulation ; si jamais l'un d'eux vous arrêtait sur la grand-route, vous aviez intérêt à lui présenter un billet de deux dollars en même temps que votre permis.

La pénurie due à la guerre, jointe à l'admirable esprit d'adaptation aux circonstances des protestants, bénéficièrent et aux Juifs et aux Canadiens français. Les Juifs aux ongles propres purent être intégrés au système d'enseignement des écoles protestantes, et les Canadiens français de la « Ligue » Atwater et des terrains de pratique régionaux joignirent la « Ligue » internationale de baseball. Grâce à Jean-Pierre Roy, les *Montreal Royals* gagnèrent vingt-cinq matchs pendant une saison, et un jeune homme du nom de Stan Bréard, bien que frappeur médiocre, se fit remarquer pour son style comme *shortstop* pendant une saison. Mais j'y pense : les seuls Canadiens français dont j'entendais parler étaient des athlètes. Il y avait Maurice Richard, naturellement, mais aussi l'habile boxeur mi-moyen Dave Castilloux et, surtout, le lutteur héros Yvon Robert qui, semaine après semaine au Forum, faisait une bouchée des lutteurs blonds d'origine anglo-saxonne.

À part les bagarres de rues entre enfants et les articles que je lisais dans les pages de sport, tout ce que je savais des Canadiens français, c'était qu'ils portaient à rire. Notre professeur écossais ne manquait jamais d'égayer la classe en nous lisant le poème atroce de William Henry Drummond, *Little Baptiste & Co.,* qui était écrit en vers dialectaux, style *Uncle Tom* (qu'il vaut mieux ne pas essayer de traduire) :

On wan dark night on Lac St. Pierre,
De win' she blow, blow,
An' de crew of the wood scow "Julie Plante"
Got scar't and' run below —
Bimeby she blow some more,
An'de scow bus'up on Lac St. Pierre
Wan arpent from de shore.

En réalité, il n'y avait que les WASPS que nous détestions vraiment et que nous craignions. «Avec leurs visages insignifiants, ai-je entendu dire, quels sont ceux d'entre eux dont on peut discerner et dire ce qu'ils pensent ?» Nous avions l'impression que c'était «leur» pays que nous habitions et que, avec suffisamment d'alcool dans le corps, ils pouvaient fomenter nous ne savions quels troubles.

Nous formions une tranche d'humanité agressive et grossière, rue *Main* et dans ses environs. Et d'une prétention ! Mais il suffisait que le plus fade et le plus émacié des inspecteurs d'incendie WASP paraisse pour que le plus arrogant marchand de la rue le salue et lui donne du *Sir* tout en ouvrant un tiroir pour en sortir un billet de dix dollars ou une bouteille.

Après l'école, nous nous empressions de nous diriger vers la *Main* pour aller jouer au billard russe au coin de la rue Rachel ou de la rue Mont-Royal. D'autres jours, quand nous décidions de faire l'école buissonnière, nous avions le choix en fait d'attractions. Nous pouvions jouer au billard automatique ou visionner pour un *nickel* un vieux film d'effeuillage. Pour trente-cinq cents, les cinémas *Midway* et *Crystal Palace* vous présentaient un long métrage, un spectacle de filles plus un second long métrage. À cette intersection, la *Main* était grouillante de bons à rien, de mendigots et de putains. Des écriteaux des deux côtés de la rue: *Tourist Rooms by Day and Night,* et d'un travers à l'autre de la rue, partout, un relent de frites et d'huile rance. Une barbe de trois jours au-dessus d'une chemise à carreaux, des durs à cuire s'attroupaient à la porte des tavernes et des cafés bon marché. Avec l'odeur de frites flottait une atmosphère de violence en suspens.

Je me souviens qu'on nous mettait toujours en garde contre la *Main.* Nos grands-parents et nos parents y étaient venus en partant de Roumanie et en voyageant en troisième classe, ou de Pologne et en passant par Liverpool. Aussitôt défaits les baluchons et les malles en carton, ils nous préparaient une vie meilleure et plus reluisante, à nous qui allions naître Canadiens. La *Main* leur avait suffi, mais elle ne devait pas être notre lot. La lutte qu'ils menaient, nous l'ont-ils assez répété, c'était précisément pour faciliter notre avancement par rapport à eux. La *Main,* c'était pour les flemmards, les ivrognes et — Dieu nous préserve ! — les ratés.

Pendant les années qui nous menèrent à la guerre, le ghetto considérait le médecin comme un personnage idéal, ce en quoi il ne différait guère de n'importe quel autre ghetto d'Amérique. À tort, nous voyions en lui l'apogée du savoir et du raffinement. En ce temps-là commença également le phénomène familier et désespérant de désaffection des enfants nés Canadiens envers leurs parents immigrants. Nos frères et cousins aînés, étudiants à l'université, trouvaient gênant l'accent de leurs parents quand ils revenaient à la maison. Même les plus jeunes enfants, comme moi-même, allions aux écoles des Gentils. D'après « eux », les prêtres avaient contribué puissamment à l'exploration et au développement du pays. Quelques-uns étaient même des héros. Mais nos parents avaient d'autres souvenirs et d'autres idées sur la prêtrise. À l'école, on nous enseignait que les Croisades avaient été de glorieuses entreprises ; à la maison, on en faisait ressortir le côté sanglant. Nous souhaitions longue vie au vice-roi Lord Tweedsmuir chaque samedi matin à la synagogue, mais il y en avait parmi nous qui le connaissaient sous le nom de John Buchan. Dès le départ, il y eut leur version de l'histoire, et la nôtre. Nos héros et les leurs.

Nos parents avaient un critère particulier pour juger de l'action des hommes et du sens des événements : quel bien les Juifs pourront-ils en retirer ? Cette pierre de touche leur servait aussi bien à jauger la politique de Mackenzie King que les éliminatoires pour la coupe Stanley ou les tremblements de terre du Japon. Par exemple, si les *Canadiens* de Montréal remportaient la coupe, cela rendrait furieux les WASPS de Toronto et aussi longtemps que la rivalité existait entre Anglais et Français nous étions tranquilles ; par conséquent, c'était une bonne chose pour les Juifs quand les *Canadiens* étaient victorieux.

Nous étions convaincus que nous ne pouvions que bénéficier d'une dissension entre les deux cultures du Canada, l'anglaise et la française, et nous ne nous cherchions de modèle ni en Angleterre ni en France. Nous nous tournions vers les États-Unis, c'est-à-dire l'Amérique véritable.

L'Amérique, c'était Roosevelt, le *Yeshiva College,* Max Baer, les records établis par Mickey Katz, Danny Kaye, un juge israélite de la Cour suprême, le *Jewish Daily Foreword,* Dubinsky, Mme Nussbaum de *Allen's Alley,* et Gregory Peck qui jouait avec tant de gentillesse dans *Gentleman's Agreement.* Ma foi ! c'était un Juif qui écrivait les discours du président. Revenant des États-Unis, des cousins à nous jurèrent avoir entendu un agent de police parier yiddish à Brooklyn. Et puis, il y avait les hôtels dans les *Catskills,* les mélos-feuilletons juifs à la radio et, par-dessus tout, les endroits de plaisir : Florida, Miami. Tant qu'un manufacturier de Montréal ne pouvait se permettre de passer un mois à Miami chaque hiver, il n'avait pas encore vraiment réussi.

Nous étions gouvernés par Ottawa. Nous étions, en plus, sujets britanniques. Mais la vraie capitale, pour nous, c'était certainement New York. Le succès devait (et doit encore) être confirmé aux États-Unis. Ce qui signifiait, pour un boxeur, un match principal au *Madison Square Garden* ; pour un écrivain ou un artiste, les louanges des critiques new-yorkais ; pour un homme d'affaires, un teint hâlé à Miami. Et aujourd'hui, pour un comique, une participation au spectacle de télévision d'Ed Sullivan ; pour un comédien, non pas un rôle important au Festival de Stratford mais un rôle dans un téléroman d'Hollywood (celui de Lorne Greene dans *Bonanza,* par exemple). Le monde qui nous entourait, « leur » Canada, ne nous concernait que dans la mesure où il touchait nos conditions de vie. Mais, quand même, nous aimions impressionner les *goyim* dans des domaines qui n'étaient pas les nôtres. Aussi bien, tout en croyant, en nous-mêmes, que le baseball ou la boxe professionnelle n'étaient pas indiqués pour un garçon juif, nous suivions avec plaisir, par exemple, la carrière fructueuse de Kermit Kitman, joueur de champ au baseball, et celle de Maxie Berger, poids mi-lourd.

Nos rues, et même celles d'Outremont où vivaient les riches et les gens distingués de la classe moyenne, renfermaient un monde presque fermé. En dehors des affaires, les contacts avec les Gentils étaient peu nombreux, ce qui n'était dû ni à un esprit de clan intraitable ni à une crainte puérile. Pendant les années précédant la guerre, les groupes néo-fascistes étaient extrêmement actifs au Canada. Aux États-Unis, il y avait le père Coughlin, Lindberg et d'autres encore. Nous, nous avions Adrien Arcand. Et les effets produits étaient presque semblables. Je me souviens avoir vu des swastikas et des « À bas les juifs » peints sur la route nationale des Laurentides. Certaines banlieues, ainsi que des hôtels de montagne et des clubs de « campagne », ne nous acceptaient pas. Certaines plages affichaient : *Gentiles only.* Les universités fixaient un contingentement particulier pour les Juifs. L'avenue du Parc était parfois le théâtre d'altercations de nature raciale. La démocratie fêlée qu'on nous demandait de défendre nous était hostile. Indiscutablement, il valait mieux pour nous vivre au Canada qu'en Europe mais c'était « leur » Canada, non le nôtre. Pendant la guerre, je n'étais qu'un adolescent. Je me rappelle les affiches préventives dans les magasins : LES MURS ONT DES OREILLES et L'ENNEMI EST PARTOUT. Je me souviens également de mes parents, oncles et tantes, craquant des cacahuètes un vendredi soir et attendant que les deux amis les plus chaleureux des Juifs, Roosevelt et Walter Windchell, enlèvent leurs gants et déclarent la guerre. Nous admirions le cran des Britanniques mais nous avions plus confiance dans les marines américaines. Nous étions allés à bonne école : John Wayne, Clark Gable et Robert Taylor réduisant les Panzers en bouillie alors que Noël Coward, Laurence Olivier et quelques autres, vus dans bon nombre de films de guerre britanniques, nous semblaient trop humains et trop vulnérables. Par conséquent, nous avons jubilé un moment à la déclaration de guerre, suite de l'attaque sur Pearl Harbor, mais la participation américaine diversifia nos intérêts. Dans un autre pays, les parents dont nos grands-parents rappelaient le souvenir avaient été assassinés. Mais dans la rue, en tenue d'uniforme de cadets, nous, de F.F.H.S., louchions du côté des *V-girls* fabuleusement perverses («Elles n'offrent pas une seule barrière à un gars en uniforme, tu sais») dont il avait été question dans le *Herald.* Il est vrai que nous devions faire certains sacrifices. Les livres américains de bandes humoristiques avaient été prohibés pour la durée de la guerre à cause, je crois, d'une pénurie de fonds américains. Aussi devions-nous débourser vingt-cinq cents au marché noir pour obtenir des exemplaires de *Batman* et de *Tip-top Comics.* Mais au même kiosque à journaux, nous achetions une page représentant quatre cochons. Vous pliiez la feuille tel qu'indiqué et les quatre arrière-trains des cochons devenaient la face honnie de Hitler. Devant la devanture de *Cooperman's Superior Provisions,* où vous pouviez obtenir du sucre sans tickets pourvu que vous fussiez un client, nous clamions «Marché noir Cooperman, Marché noir Cooperman!» jusqu'à ce que le bonhomme sortît, brandissant son balai, et nous chassât loin dans la rue.

La guerre en Europe apporta des changements considérables dans la vie de la communauté juive de Montréal. Mentionnons, pour commencer, l'arrivée des réfugiés. Ces hommes, qui avaient été internés en Angleterre comme étrangers ennemis puis envoyés au Canada où, finalement, ils avaient été relâchés, allaient faire sur nous une impression profonde. Nous nous étions, je crois, imaginé les réfugiés en *hassidim* sordides, baluchon au dos. Nous voulions les aider, nous montrer généreux et nous nous attendions, en retour, à plus qu'un peu de reconnaissance. Il se trouva que les réfugiés, Juifs allemands ou autrichiens pour la plupart, étaient beaucoup plus affranchis et instruits que nous l'étions. Ils ne venaient pas, comme nos grands-parents, de *shtetls* de Galicie ou de Russie et ne méprisaient pas l'Europe. À l'opposé, ils trouvaient les Juifs d'ici étroits d'esprit, peu cultivés, et Montréal très provincial. Cela nous déconcerta et nous piqua au vif. Mais, ce qui nous fit le plus mal, je pense, ce fut leur maîtrise de l'anglais, supérieure à la nôtre, et leur effronterie de converser entre eux dans cette langue abhorrée, l'allemand. Ils ne se gênèrent pas pour dire que le Canada n'était pour eux, jusqu'à l'obtention de leur visa américain, qu'un pays de transit. Pendant quelque temps, nous leur fûmes hostiles.

Pour nos grands-parents qui se souvenaient de ceux qu'ils avaient laissés en Roumanie et en Pologne, la guerre fut une époque d'affliction inexprimable. Les parents voyaient leurs fils grandir trop rapidement, sans pouvoir les empêcher d'aller à la guerre les uns après les autres. Ceux-ci n'étaient d'ailleurs pas forcés d'y participer réellement car, jusqu'à la fin de la guerre, la conscription fut limitée au service en terre canadienne. Ce n'est qu'à titre de volontaire qu'un jeune homme était envoyé outre-mer.

Pour les garçons de mon âge, la guerre ne fut pas une épreuve. Je ne peux pas m'en souvenir comme d'une période sombre et je pense qu'il en fut de même pour tous ceux de ma génération. En vérité, la guerre apparaît, rétrospectivement, comme la première occasion qu'eurent nos parents de gagner enfin de quoi vivre convenablement. Même pendant que les bateaux coulaient et que les bombes pleuvaient ailleurs, notre pays, sorti enfin d'une période de dépression, entrait dans une période de prospérité qu'il n'avait jamais connue. On nous parlait de mort et de sacrifices mais, pour ma génération, la guerre signifiait le déménagement de logis sans eau chaude à des appartements dans Outremont, à des logis à deux étages ou à plans décalés en banlieue. À Varsovie, lisait-on, le ghetto se révoltait, mais à Montréal, nous passions de misérables petits *shuls* à de vastes écoles paroissiales attachées à la synagogue, avec vitraux et façades en mosaïque. Pendant la guerre, certains d'entre nous perdirent des frères, des cousins, mais, au Canada, jamais la vie n'avait été aussi agréable. Adieu aux cabanes louées pour l'été, avec cabinets extérieurs, sans plomberie ; nous allions, pendant la belle saison, nous installer dans nos propres villas de style colonial, avec hors-bord sur le lac Sainte-Agathe.

5

PAR UN MATIN CLAIR, au ciel pur, en juillet 1941, Noah, Gas et Hershey s'étaient donné rendez-vous sur le perron de la confiserie *Old Annie* à Prévost, village des Laurentides où leurs familles avaient loué des villas pour l'été. Ils avaient décidé d'escalader la montagne derrière les *Nine Cottages* afin d'atteindre le lac Guindon, où se trouvaient les *goyim*.

Hershey fut le premier arrivé.

Old Annie, qui était une veuve menue aux cheveux gris, scruta le jeune homme de ses yeux tristes où perça une lueur de méfiance. Elle remarqua une trousse de pansements et un couteau de scout attachés à sa ceinture.

— Qu'est-ce que tu as en tête? Une révolution?

— Celui qui ne voit rien n'a rien à dire, répondit Hershey en faisant une sorte de grimace.

La confiserie *Old Annie* était une cabane carrée peinte en jaune et presque entièrement recouverte d'enseignes annonçant l'eau gazeuse Kik et les cigarettes

Sweet Caporal. Ce n'est pas parce qu'elle avait soixante-deux ans qu'on l'appelait *Old Annie.* En Lithuanie, il y avait longtemps de cela, les trois premiers enfants nés avant elle étaient morts en bas âge. Aux parents éplorés, le thaumaturge du village avait suggéré d'appeler *alte* (vieux) dès sa naissance tout autre enfant qui pourrait leur naître ; Dieu comprendrait.

Gas arriva le deuxième, portant fusil en main et, dans un sac, un pauvre œuf esseulé et des sandwichs aux oignons.

— Knock, knock, dit-il.

— Qui est là ? demanda Hershy.

— Avant.

— Avant qui ?

— Avant que Noah arrive, ça va prendre un bout d'temps.

Derrière la confiserie d'*Old Annie* se trouvait un champ roussi, rempli de piquants, qui servait de marché. Tous les vendredis matin, les *habitants* s'amenaient avec leurs volailles, leurs légumes et leurs fruits. Ils avaient des visages durs et marqués ; ils ne se laissaient pas avoir facilement, mais ils rencontraient plus que chaussure à leur pied quand ils avaient affaire aux femmes de la rue Saint-Urbain ; à la fin de l'après-midi, ils se sentaient vidés et ne demandaient pas mieux que de rentrer. Les marchandeuses impitoyables les avaient harcelés en un mélange de français, d'anglais et de yiddish. « So fiel, Monsieur, for dis Kleine chicken ? Vous crazy ? »

Le « porte-panier » de Pinky vit les deux garçons assis à l'entrée et attendant Noah. Il s'approcha d'un pas incertain.

— Où allez-vous ? demanda-t-il.

— En Chine, répondit Gas.

Quand la mère du « porte-panier » voulait qu'il aille aux toilettes, elle sortait sur le perron et lui criait : « Dollink, c'est le temps de changer le poisson d'eau. »

Pinky, qui était le cousin de son mouchard, avait dix-sept ans et il s'appelait, de son vrai nom, Milton Fishman. Il était plutôt dévot et dirigeait les services au camp Machia. Le mouchard lui servait d'agent d'information.

— J'ai un vingt-cinq sous, dit celui-ci.

— Prends-en bien soin, lui répondit Gas.

Habituellement, les familles qui habitaient les rues Clark, Saint-Urbain, Rachel ou Hôtel-de-ville se mettaient ensemble pour louer des cottages d'été à Prévost. Comment elles s'y prenaient pour trouver l'argent, les sacrifices qu'elles s'imposaient, cela était relativement sans importance : avant tout, les enfants avaient besoin de soleil. Prévost comptait très peu de natifs ; la plupart des cottages de guingois appartenaient à des Canadiens français qui habitaient Shawbridge, juste en haut de la côte, dans le voisinage de la gare du chemin de fer Canadien-Pacifique. Prévost était situé au pied de la côte. (Le pont qui le séparait de Shawbridge avait été construit, prétendait-on, par un nommé Shaw.) C'était un ensemble bigarré de cabanes en bardeaux et de cottages éparpillés sur les collines et dans les champs, reliés par un lacet de routes cahoteuses en terre et un réseau compliqué de sentiers.

Le centre du village était situé au pied du pont. C'est là que se trouvaient les magasins de Zimmerman et de Blatt, l'étal de Stein, l'hôtel Riverside et, à droite de la courbe du chemin de terre, la synagogue et la grève. En 1941, Zimmerman et Blatt continuaient de se faire une concurrence ferme, chacun dans son magasin général, situé l'un en face de l'autre. Les deux boutiques s'étalaient en largeur de chaque côté de la route. Elles auraient dû être repeintes depuis longtemps mais elles avaient chacune une salle de danse et une immense terrasse contiguë où vous pouviez aussi danser.

Zimmerman avait un aide, un nommé Zelda, ce qui lui assurait une certaine supériorité sur Blatt. Zelda avait placé partout des pancartes. Par exemple, sur l'étalage de fruits :

UNE ORANGE N'ÉTANT PAS UNE BALLE DE BASEBALL, NE TOUCHEZ QU'AUX ARTICLES DÉSIRÉS. PENSEZ AUX AUTRES CLIENTS.

CE QU'ON PAYERA MOINS CHER CHEZ LE BANDIT D'EN FACE, NOUS LE DONNERONS POUR RIEN.

Cependant, ce que vous pouviez acheter à meilleur compte chez Blatt, Zelda vous prouvait toujours que ce n'était pas une aubaine : la qualité en était inférieure, le produit défraîchi, etc.

Un champ de tessons de bouteilles et de souches d'arbres, voilà comment se présentait la grève. Des dames grassouillettes d'âge moyen, à la peau couleur de homard, étendaient des couvertures et, par-dessus, leur anatomie rayée d'un soutien-gorge et d'une culotte. Elles jouaient au poker, fumaient ou sirotaient des Coke. Les coupeurs de vêtements et les repasseurs ne se mettaient que rarement en maillots de bains, eux non plus, car ils ne savaient pas nager. Ils installaient des tables de jeu et des chaises et jouaient gravement au *pinocle* tout en tirant sur leurs cigares infects et en maudissant le soleil. Les enfants entraient et sortaient, jouant à chat (*tag*) ou se lançant une balle. Les aînés zigzaguaient entre les corps étendus au soleil, portant des seaux pleins de glace et criant : « Boissons glacées. *Chaw-lit-bahs.* Cigarettes ! »

De temps à autre, une dame en chapeau de paille au large bord ondulant se dandinait d'une table à l'autre, un large sourire aux lèvres, à la mesure de ses aspirations qui faisaient luire ses dents en or. Elle demandait — « mais personne n'est forcé, remarquez » — si on voulait acheter un billet de loterie au bénéfice de la *Mizrachi Fresh Air Fund* ou de la J.N.F. (Fonds national juif). Les bébés braillaient. On mangeait des prunes, des pêches, des melons d'eau ; les pelures et noyaux, on les lançait n'importe où. Pendant les trois dernières semaines du mois d'août, la période la plus critique relative à la polio, le Bureau de santé condamnait infailliblement la lente rivière jaunâtre. Mais les enfants ne s'en souciaient aucunement. Ils criaient de joie quand une des monumentales mamans entrait dans la rivière pour y faire trempette une fois, deux fois ; elle les avertissait de ne pas nager trop loin puis elle retournait rafraîchie à sa partie de poker. Les Canadiens français étaient trop scandalisés pour protester mais il arrivait que les prêtres dénoncent l'indécence des Juifs au cours d'un sermon. Mort Shub comprenait : « Après tout, disait-il, ils doivent gagner leur vie, eux aussi. Ils sont payés pour ça. »

Le soir venu, la plupart des gens se rendaient aux deux salles de danse. Les garçons, tels Noah, Gas et Hershey, montaient sur les fenêtres et, sarbacane aux lèvres, visaient soigneusement les jambes des danseuses avant de lancer leurs pois. Le vendredi, veille du sabbat, les épouses besognaient très fort à nettoyer et à cuisiner. Tout le monde s'habillait dans l'après-midi, vu que le papa arriverait tout à l'heure et qu'on irait le rencontrer à Shawbridge où il descendrait probablement du train à prix réduit de 6 heures 15. À ce moment-là commençait la procession: Shawbridge qu'on parcourait à rebours, la côte qu'on descendait, le pont qu'on traversait, événement qui, chaque fois, horrifiait les villageois. Qui étaient ces étrangers, ces hommes qui mâchonnaient leurs cigares, qui s'encombraient de melons d'eau et de bouteilles de Kik, de salamis et de paniers de pêches, qui hurlaient en s'adressant à leurs enfants, qui donnaient à leurs femmes des claques sur les fesses et, c'était le bouquet, qui saluaient gaiement de la main les rigides Écossais qui en restaient pétrifiés sur leurs perrons.

Noah vint se joindre aux deux autres.

— Le porte-panier de Pinky veut nous accompagner, dit Hershey.

— Lui as-tu dit où nous allions?

— *Ixnay*. Penses-tu!

Gas précisa que le mouchard avait vingt-cinq cents et, effectivement, celui-ci produisit la pièce de monnaie.

— Bon, amène-toi, dit Noah.

Old Annie hocha la tête tristement et suivit du regard les quatre garçons qui s'éloignaient à travers champs, Noah en tête. Hershey, qui suivait, était le fils du rabbin Druker dont les adeptes étaient peu nombreux mais fidèles. C'était un garçon décharné avec de grands yeux bruns, qui se tenait près de la synagogue tous les soirs et arrêtait les vieillards se rendant aux prières: «Donnez-moi cinq cents, leur disait-il, et je vous donnerai une bénédiction.» Son manège réussissait assez bien. «Je suis sanctifié en diable», dit-il à Noah un jour.

Gas, qui suivait, était rondelet, avec des cheveux blonds et des taches de rousseur.

Sous le soleil qui baignait leurs corps déjà brunis, les garçons suivirent à la file indienne la route de terre qui menait au *Nine Cottages*. Ils dépassèrent le cottage de Kravitz, et ses cabinets malodorants, la maison de Becky Goldberg et la cabane quelconque qui abritait dix Cohen quelconques.

L'herbe haute qui couvrait le pied de la montagne était raide, jaunie, et vous donnait des démangeaisons. Il y avait aussi des zones détrempées qui favorisaient la pousse des joncs, mais ils les évitèrent. Ils se sentaient au frais sous les arbres mais ils avaient une longue montée à effectuer. Le sol élastique qu'ils arpentaient était couvert de pommes de pin, d'aiguilles et de feuilles mortes. Les merisiers, les érables et les pins filtraient tellement la lumière du soleil que de la montagne se dégageait une odeur d'humidité. De temps à autre ils entendaient le croassement des corneilles; ils virent deux pic-bois, un colibri, atteignirent le sommet de la montagne vers une heure. Ils s'assirent dans une clairière pour y prendre leur collation. Gas fit la chasse aux sauterelles et plaça ses victimes dans un vieux bocal à mayonnaise dont il avait perforé le couvercle à deux endroits. Leurs sandwichs expédiés, ils repartirent, cette fois en descendant l'autre versant. Le feuillage s'épaississait et, leur impatience d'en finir tôt aidant, ils s'égratignèrent les bras et les jambes aux buissons, trébuchèrent dans des fossés que dissimulaient des branches touffues et se meurtrirent les chevilles sur des pierres coupantes. Au loin, des voix se firent entendre. Noah, à qui on avait confié la carabine à plombs, enleva le cran de sûreté. Gas ramassa une pierre, Hershey dégaina son couteau.

— Nous serons en retard pour le *shabbus,* dit le mouchard. Nous devrions peut-être retourner.

— Eh bien! retourne. Mais fais attention aux serpents, hein?

— J'ai rien dit.

Des voix, et aussi des rires, percèrent à travers le feuillage. Le sol se redressa et, juste devant eux, ils aperçurent la plage, de vrais canoës, un plongeoir et nombre d'ombrelles et chaises longues aux couleurs extravagantes. Ils s'approchèrent avec précaution, en rampant dans les fourrés. Noah fut étonné. Les hommes étaient grands, bien découpés, les femmes étaient jolies « c'téfrayant », étendues ainsi dans le soleil, sans crainte de quoi que ce soit. Pas de cris, pas de pelures de melons d'eau, pas de femmes en culottes bouffantes. Tout était tellement propre. C'était presque beau.

Gas fut le premier à remarquer le comptoir des boissons gazeuses. Il se tourna vers le mouchard: « Tu as les vingt-cinq cents? Va nous chercher des Pepsi. »

— Gas devrait y aller, dit Hershey. C'est celui qui a l'air le moins juif. Regardez-lui le nez. Ils vont facilement le prendre pour un *goy,* hostie.

— Tu peux avoir mes vingt-cinq cents, Gas.

— Ah! va changer ton poisson d'eau, répondit celui-ci. Peut-être bien que j'ai pas l'air aussi juif que toi ou Noah, mais mon air, je le perdrais vite s'ils me rabaissaient le pantalon!

Ils éclatèrent de rire.

— Il n'y a pas de quoi rire, remarqua Hershey. C'est ainsi qu'ils ont su qui était mon oncle, celui qui a été tué en Russie.

— Vous êtes des peureux, jeta Noah, je vais y aller, mais je vais boire mon coke en plein sur la plage. Si vous voulez boire vous aussi, faudra venir me rejoindre.

Une Ford décapotable démarra, qui leur avait jusque-là caché l'écriteau. Gas l'aperçut et la montra du doigt: «Hé! Regardez!»

THIS BEACH
IS
RESTRICTED
TO GENTILES

Ce qui changeait tout. Noah s'excita davantage, déclara qu'ils resteraient dans les alentours jusqu'au soir et qu'une fois la plage déserte ils iraient dérober l'écriteau.

— Ouais, et retourner dans le noir, hein? demanda le mouchard. C'est vendredi, vous savez. Est-ce que vos pères ne viennent pas aujourd'hui?

Gas et Hershey se trouvèrent embarrassés. Leurs mères leur avaient interdit de jouer avec Noah. Le mouchard parlait raisonnablement mais, si Noah avait l'intention de rester, de quoi auraient-ils l'air s'ils l'abandonnaient? Or Noah avait l'air décidé. L'arrivée de son père à la fin de la semaine signifiait généralement des prises de bec pendant deux jours.

— Ah! dans cent ans, nous serons tous morts, soupira Gas.

Le mouchard attendit, donnant des coups de pied avec humeur contre un tronc d'arbre.

— Hershey, si tu reviens avec moi, tu peux avoir mes vingt-cinq cents.

— Fais attention aux serpents, répondit Hershey.

Le mouchard partit seul.

L'après-midi s'étira. Le soleil finit par baisser alors qu'une forte brise s'élevait. Quelques rôdeurs n'avaient pas quitté la plage. Hershey voulut savoir si un Gentil pouvait être aussi bien un catholique ou un protestant.

— Oui, lui répondit Noah.

— Mais ils sont différents, hein?

— Différents? Tu sais, toi, la différence entre Hitler et Mussolini?

Noah décida qu'étant donné l'heure ils auraient à prendre le risque maintenant, malgré les rôdeurs. Les quelques couples attardés, concentrés sur eux-mêmes, ne les remarqueraient pas s'ils savaient s'y prendre. Noah expliqua que Gas et lui-même se promèneraient sur la plage et, par deux directions différentes, se rapprocheraient nonchalamment de l'écriteau, qui n'avait pas l'air d'être planté bien solidement dans le sable. Hershey devait les prévenir s'il voyait venir quelqu'un. C'est lui qui avait les pierres et la carabine à plombs.

Les deux garçons se mirent à flânocher innocemment en direction de la plage. Noah sifflait. Gas faisait mine de chercher quelque chose. Le vent soulevait des rideaux de sable. Le soleil descendant s'enflamma sur la crête des montagnes opposées. Soudain, les deux garçons se mirent à tirer frénétiquement sur le poteau de l'affiche. Gas riait au point d'en pleurer, mais Noah lança un juron. Une voix perçante se faisait entendre dans le silence: «Hé là ! vous autres !»

Abandonnant la partie, Gas s'enfuit vers la forêt en criant: «Dépêchons-nous!» mais Noah persista.

Brandissant une pagaie, un homme s'élança dans sa direction. Noah donna une dernière et frénétique secousse à l'écriteau, qui lui resta dans les mains. L'homme ne devait être qu'à une vingtaine de pas maintenant. La fureur perçait dans ses yeux mais aussi dans la façon dont il maniait la pagaie: «Mon enfant de chienne!»

Noah fit un crochet, courut vers les fourrés. Une pluie de cailloux échoua sur son dos. Derrière lui, la pagaie fendit l'air. Mais il était trop rapide. Déjà, il galopait dans les fourrés et, l'instant d'après, il zigzaguait dans la montagne. Il courut, courut, courut. Finalement, et toujours agrippant l'écriteau dans sa main, il se laissa tomber, le cœur battant, sur un tapis d'aiguilles de pin.

Aucun signe de Gas, mais Hershey surgit au-dessus d'un rocher. L'obscurité survint brusquement, leur faisant réaliser non moins brusquement qu'ils s'étaient égarés. Comme ils n'avaient pas de lampe de poche, ils se demandèrent s'ils ne tournaient pas en rond. Pour ce qu'ils en savaient, ils se dirigeaient peut-être vers le lac Guindon.

Noah et Hershey cessèrent leur ascension, car le sol était maintenant horizontal, et ils entendirent tout à coup plusieurs voix. Des rayons de lumière perçaient l'obscurité. Les garçons s'empressèrent de dissimuler l'écriteau sous un amas de feuilles pourrissantes et montèrent dans l'arbre le plus proche, les poches remplies de cailloux. Les voix et les lumières exploratrices se rapprochaient.

— Hershey!

— Noah!

— Hé! les gars!

— Allô, allô!

Les garçons furent secoués par le rire. Tous les hommes valides de Prévost devaient être sur un pied d'alerte dans la montagne, armés de fourches, de râteaux, de crosses de golf et de bâtons de baseball. Jamais Noah et Hershey n'avaient pensé qu'ils pourraient, un jour, se sentir reconnaissants envers le mouchard mais, ce soir-là, ils le furent vraiment. Ils descendirent de leur abri, mirent l'écriteau à découvert et furent ramenés en triomphe à Prévost où rien ne leur fut refusé. Le dimanche matin suivant, Noah, Hershey, Mort Shub et Gas plantèrent l'écriteau sur leur propre grève. Ceux qui vinrent s'y baigner purent lire:

THIS BEACH
IS
RESTRICTED
TO GENTILES
LITVAKS (Lithuaniens)

6

NOUS ÉTIONS À COURT D'ARGENT, mais nous ne pouvions pas, comme nos voisins, les Isenberg, mettre dans la fenêtre une affiche «Chambre à louer». Nous nous devions de maintenir l'apparence d'un certain niveau de vie.

Si nous prenions un réfugié non marié, calculait ma mère, nous contribuerions à soulager la misère humaine et peut-être aussi à trouver un mari pour notre pauvre cousine Bessy.

Par conséquent, ma mère téléphona à une agence en novembre 1942 et, sans avoir à afficher, nous eûmes notre premier locataire, un réfugié. Herr Bambinger était un homme frêle, voûté, chauve et à peu près sans menton véritable. Il portait d'épaisses lunettes à monture d'acier et, bien qu'il roulât ses propres cigarettes, il se servait d'un porte-cigarettes en écaille.

— Je suppose, lui dit ma mère, que vous songez à vous établir. Vous allez vous chercher une femme à marier.

— Tu peux gager là-dessus le dernier dollar qu'il te reste, commenta mon père par la suite.

Le vendredi suivant, la chère cousine fut invitée à dîner. Le lendemain, mes parents sondèrent Herr Bambinger. Ma mère attaqua :

— La beauté n'est qu'à fleur de peau.

— Ach, c'est vrai.

— Ce qu'un homme attend d'une femme, renchérit mon père en offrant à son locataire un verre de liqueur d'abricot, c'est le sérieux, la constance. Et quelques économies en banque.

Herr Bambinger n'allait pas, à l'instar des autres réfugiés, boire d'innombrables tasses de café au *Old Vienna* et pontifier sur le manque d'intérêt et de culture dans tous les domaines qui caractérisait le Canada. Bambinger passait la plupart de ses soirées à fumer dans l'obscurité de sa chambre, la fameuse chambre sur la cour. Il écrivait un nombre prodigieux de lettres, remplissant toujours les feuilles pelure du haut jusqu'en bas, avec l'écriture la plus petite et la plus serrée que j'aie jamais vue. Il envoyait ses lettres dans le monde entier aux soins de la Croix rouge, des camps de réfugiés ou des organismes spécialisés, mais il ne recevait jamais de courrier, sauf parfois ses propres lettres ou bien des exemplaires de l'*Aufban.* Bambinger s'intéressait beaucoup à moi. Il persuada ma mère que les livres de bandes dessinées ne pouvaient qu'avoir une fâcheuse influence sur ma personnalité. Superman, lui expliqua-t-il, glorifiait le fascisme ; Batman et Robin entretenaient des relations homosexuelles « à peine, mais à peine déguisées ». Ou encore : « Je vous déconseille d'envoyer ce garçon dehors sans cache-col quand il fait aussi froid. » Et deux jours plus tard : « Ce garçon ne devrait pas se tenir les coudes sur la table quand il mange.» Une autre fois, il ferma brusquement la radio: «Un enfant ne peut pas étudier et écouter ces fadaises en même temps.»

Mes parents se dirent que Herr Bambinger n'agissait ainsi que dans mon intérêt et, en conséquence, ils me punirent quand je contestai ses intrusions. Ma mère me força, un samedi après-midi, d'aller me promener avec lui.

— Pourquoi est-ce que je devrais manquer le match de baseball?

— Le pauvre homme a une femme et un enfant de ton âge et il ne sait pas où ils sont ni même s'ils sont encore vivants.

Bambinger — et ici je le soupçonne de s'être vengé — me conduisit au Musée des beaux-arts, rue Sherbrooke.

— Il n'est jamais trop tôt, dit-il en allumant une cigarette, pour apprendre à apprécier les arts.

— Est-ce que je peux avoir une cigarette?

— La nicotine ne vaut rien pour les enfants qui grandissent.

— Si vous êtes trop avaricieux pour m'en donner une, vous n'avez qu'à le dire.

— Non seulement tu es stupide, mais tu es insolent. Si tu étais mon fils, il n'en serait pas ainsi. Je t'enseignerais le respect.

— Eh bien! je suis pas votre fils, vous saurez ça.

C'est au sujet du café que, quelques jours plus tard, nous nous sommes vraiment affrontés. On s'en souvient, le café était rationné pendant la guerre et, à l'âge de douze ans, un garçon avait droit à sa part, comme en faisaient foi les tickets du carnet qui m'étaient destinés.

J'avais attendu impatiemment la date de mon douzième anniversaire : le lendemain, je demandai une tasse de café. Ma mère eut un sourire. Mais Bambinger lui lança un regard d'avertissement et à moi un regard de reproche.

— Tu sais que tu n'as pas la permission de boire du café, objecta ma mère. Tu es encore un enfant.

Ma sœur sourit et prit une longue gorgée.

— En ce qui concerne le gouvernement élu du Canada, j'ai la permission, depuis hier, de boire du café.

— Le gouvernement est plein d'antisémites, dit mon père comme malgré lui.

Mais je pus voir que ma mère perdait de sa fermeté et je continuai de plaider ma cause :

— Une tasse, m'man, est-ce que ça va te briser le cœur ?

— Ta mère a raison. Le café est mauvais pour un enfant en pleine croissance.

C'était Bambinger qui parlait. Toujours d'après lui, veiller tard aussi ne valait rien, ça m'empêcherait de me développer. Je ne devrais donc pas aller le soir à l'académie *Park Bowling*. Je réagis promptement.

— C'est une affaire de famille. Alors n'y mettez pas votre grand nez.

— Excuse-toi auprès de M. Bambinger. Et tout de suite.

— Ou bien je reçois la part de ration qui me revient ou bien je déchire mon carnet.

— Tu vas rester bien tranquille. Maintenant, présente tes excuses à M. Bambinger.

Bambinger attendait, un sourire moqueur aux lèvres.

— Ah! allez au diable, criai-je à Bambinger. Pourquoi avez-vous fui devant Hitler, espèce de poltron?

Est-ce que vous n'auriez pas pu rester et combattre dans le maquis. Cela n'aurait-il pas mieux valu que d'abandonner votre femme et votre enfant, comme vous l'avez fait, pour sauver votre peau?

Ma mère me gifla.

— O.K., je m'en vais, je pars d'ici.

Je partis brusquement et me retrouvai sous la pluie. Les poings enfoncés dans les poches de mon blouson, mon sac de paquetage rempli en vitesse me battant le dos, je me rendis à l'académie de quilles où Hershey faisait la mise en place.

— Hé ! lui dis-je, comment aimerais-tu t'enfuir de la maison en ma compagnie?

Hershey s'épongea le front tout en pesant ma proposition.

— Ça peut pas attendre jusqu'à lundi? On a des *latkas* pour dîner demain.

En revenant avec Hershey rue Saint-Urbain, je lui racontai mes ennuis avec Bambinger. Comme il commençait à pleuvoir plus fort, nous nous sommes réfugiés sous un escalier extérieur en colimaçon.

— Hé ! lui dis-je, veux-tu me rendre un service?

— Non.

— Merci.

— Qu'est-ce que tu veux que je fasse?

Je lui demandai de sonner chez moi et d'annoncer à ma mère que j'avais perdu connaissance.

— Tu pourrais lui dire que tu m'as trouvé dans la rue.

— Tu as la chienne, je le savais. Tu vas pas partir de chez vous.

Hershey me donna une poussée et il partit en courant avant que j'aie eu le temps de ramasser mon sac pour lui rendre la pareille. Il était presque dix heures et demie ; la pluie se transformait en neige.

— Tu es revenu, me dit ma mère, apparemment remplie de joie.

— Seulement pour ce soir.

— Allons, me dit-elle en me prenant par la main. Nous venons juste d'apprendre une très grande nouvelle.

Bambinger était, de fait, en train de danser avec ma sœur autour de la table de la salle à manger. Il avait coiffé un bonnet de papier et avait laissé ses lunettes lui glisser sur le bout du nez.

— Ah bien ! s'exclama-t-il, c'est le retour de l'enfant prodigue. Je vous avais dit de ne pas vous en faire.

Bambinger me sourit et me pinça la joue. Il me pinça même très fort avant que je puisse me libérer.

— Ils allaient demander à la police d'aller à ta recherche.

— Madame Bambinger et Julius sont sains et saufs, dit ma mère en battant des mains.

— Ils arriveront d'Australie par bateau, précisa mon père. Monsieur Bambinger a reçu un télégramme.

— Je suis tout mouillé. Encore chanceux si j'attrape pas une pneumonie.

— Ouais, regardez-le, jeta mon père. On dirait qu'il est allé faire de la natation. Et qu'est-ce qu'il a voulu prouver ? Rien du tout.

— Je vais te dire une chose, me dit Bambinger, tu es peut-être encore trop jeune pour boire du café, mais je pense qu'un peu de cognac ne te ferait pas de tort.

Tout le monde s'esclaffa. Repoussant Bambinger pour passer, je m'élançai vers ma chambre où ma mère me suivit.

— Pourquoi pleures-tu?

— Je ne pleure pas. Vous voyez pas que je suis trempé jusqu'aux os?

Dans la salle à manger, on entendait des rires prolongés. J'ajoutai: «Va rejoindre les autres et amuse-toi bien.»

— Je veux que tu t'excuses auprès de M. Bambinger.

Comme je ne répondais rien, elle ajouta à son tour: «Tu auras droit à une tasse de café par semaine.»

— C'est son idée à lui?

Ma mère me regarda, étonnée. je continuai: «Bon, j'y vais, je vais m'excuser.»

J'allai dans la chambre de Bambinger avec lui. Il avait un sourire ironique.

— Dis ce que tu as à dire. Je ne vais pas te mordre.

— Ma mère m'a dit de m'excuser.

— Ach, oui?

— Vous êtes toujours sur mon dos.

— Moi?

— Eux, ils sont pas pour s'en apercevoir. Mais moi, je sais.

Bambinger se roula une cigarette en prenant délibérément son temps. Il me laissa mijoter un moment.

— La syntaxe et toi, vous ne vous êtes jamais rencontrés.

— Et moi, je vous dis que vous êtes dans ma chambre et que vous couchez dans mon lit.

— Ach, oui?

— Ç'aurait dû être ma chambre. Seulement, ils me font coucher dans la même chambre que ma sœur et ils vous louent la mienne.

— Je crois que tes parents ont besoin d'argent.

— Je me suis excusé. Je peux m'en aller maintenant?

— Oui, tu peux.

Le lendemain matin, Bambinger évita de me regarder. J'en fis autant de mon côté. Une semaine entière passa sans qu'il me sermonne, me corrige ou essaie de me toucher. Une épaisse enveloppe arriva d'Australie et Bambinger nous montra des photographies d'un petit garçon sérieux dans un habit bien différent des nôtres et, de toute évidence, trop petit pour lui. Sa femme avait des cheveux gris et cotonnés, les yeux bigles et, à ce qu'il semblait, une dent en or. Bambinger lut des passages de sa lettre à mes parents. J'appris que sa famille n'arriverait pas au Canada avant six semaines, le voyage par bateau en prenant quatre à lui seul.

Dès lors, Bambinger se consacra entièrement au travail et à l'austérité. Il se priva de fumer, s'interdisant même les cigarettes roulées à la main, et fit du surtemps à l'usine toutes les fois qu'il en eut l'occasion. À la fin de chaque semaine, il recherchait les aubaines. Un jour, il revint à la maison avec un habit pour son fils, acheté à rabais à la suite d'un incendie. Un autre jour, il acheta une vieille machine à laver et entreprit de la réparer lui-même. À un encan, il trouva une table et des chaises et, chez un brocanteur, un aspirateur usagé. Ces articles et quelques autres, il les emmagasina dans la remise et m'ignora pendant tout ce temps.

Je pris Bambinger par surprise en lui remettant un certain nombre de livres de bandes dessinées presque neufs. Je lui dis: « Pour votre fils », et m'éloignai précipitamment. Le lendemain, je les retrouvai sur le dessus de la poubelle, dans la remise.

— Julius ne lira pas de telles inepties, me dit-il.

— Mais ils m'ont coûté cinq cents chacun.

— Tu es bien gentil, mais tu as gaspillé ton argent.

Un samedi après-midi, seulement une semaine avant l'arrivée de Mme Bambinger et de Julius, mon père entra dans la cuisine un journal à la main et murmura quelque chose à l'oreille de ma mère.

— Oui, c'est bien le nom du paquebot. Oh ! mon Dieu !

Bambinger sortait de la remise en vacillant. Il transportait une table à laquelle il manquait un pied.

— Il faut vous attendre à un coup, lui dit mon père.

Bambinger s'empara du journal et lut le compte rendu au bas de la première page. Mes parents essayèrent de l'encourager.

— On ne sait jamais. Ils ont peut-être été recueillis dans un canot de sauvetage. Cela arrive tous les jours, vous savez.

— Là où il y a de la vie, il y a de l'espoir.

Bambinger se réfugia dans sa chambre et y resta trois jours. Il en sortit pour nous dire qu'il déménageait. Le matin de son départ, il me fit venir dans sa chambre et me dit que je pourrais avoir ma chambre de nouveau. Je restais là, immobile.

— Tu as été privé de bien des choses. Tu as bien souffert, n'est-ce pas, petit saligaud ?

— Je n'ai pas coulé le navire, répondis-je, apeuré.

L'immigrant sourit.

— Ach, non.

— Pourquoi partez-vous ?

— Je vais à Toronto.

C'était un mensonge. Deux semaines plus tard, je vis notre ancien locataire rue Sainte-Catherine. Il portait un complet neuf, un feutre velouté à large bord et des verres à épaisse monture en écaille. À ses côtés, une fille plus grande que lui. J'aurais aimé lui demander s'il viendrait réclamer ce qu'il avait laissé dans la remise, mais à bien y penser je préférai traverser la rue avant qu'il ne me voie.

7

QUAND BENNY FUT ENVOYÉ outre-mer à l'automne de 1941, Garber, son père, se dit que, puisqu'il devait céder un fils à l'armée, autant valait que ce soit Benny qui n'était pas brillant et ne poussait pas « du bon bord ». Madame Garber, elle, pensa que son Benny prendrait soin de lui-même, qu'il verrait venir les choses. Abe, le frère de Benny, comptait sur le garage qu'il aurait — « vous voulez gager que j'en aurai un ? — pour lui donner du travail à son retour. Benny écrivit toutes les semaines et toutes les semaines les Garber lui envoyèrent des colis remplis des bonnes choses qu'un garçon de la rue Saint-Urbain aurait toujours dû avoir : du salami, des harengs marinés, et des *shtrudel*. Le contenu des colis ne variait pas et les lettres, expédiées du camp Borden, puis d'Aldershot, de Normandie et de Hollande, se ressemblaient toutes, elles aussi. Elles commençaient par « J'espère que tout le monde se porte bien », et se terminaient par « ne vous en faites pas, je vous salue tous et merci pour le colis ».

Quand Benny revint de la guerre, les Garber ne firent pas le quart du chichi que les Shapiro déployèrent au retour de leur fils aîné. Ils le rencontrèrent à la gare, naturellement, et lui offrirent un petit dîner à la maison.

Abe débordait de joie : «Atta boy, Benny.» Toute la soirée, il répéta: «Atta boy.»

— Tu devrais pas retourner à la manufacture, dit M. Garber pour sa part. Tu peux te passer de ton ancien emploi. Tu pourras aider ton frère à son garage.

— Oui, c'est une idée, répondit Benny.

— Laissez-le, vous deux, il doit se reposer, intervint Mme Garber. Après tout, il pourrait bien se dispenser de travailler pour deux semaines, pas vrai?

— Dis donc, Benny, demanda Abe, quand Artie Segal revint au pays, il m'a dit qu'en Italie il n'y a rien qu'un gars ne peut pas obtenir pour une couple de Sweet Caps. Est-ce que c'est bien vrai, ça?

Si Benny était revenu au pays, ce n'était pas parce que la guerre était terminée; il avait été réformé à cause d'un éclat de shrapnel logé dans une jambe. Il boitait à peine et ce n'était pas son genre de parler de sa blessure ou de la guerre. Aussi personne ne remarqua le changement qui s'était produit en lui. Personne sauf Bella, la fille de Myerson.

Myerson était le propriétaire de *Pop's Cigar & Soda*, rue Saint-Urbain. N'importe quel jour de la semaine, vous pouviez le voir, assis sur une chaise de cuisine usée, écaillée, et jouant au poker avec les voisins. Quand un joueur hésitait, il enlevait son œil de verre et l'essuyait, geste qui, chaque fois, ne manquait pas d'intimider son public. Sa fille Bella servait au comptoir. Elle avait un pied bot, des cheveux brun souris et quelques poils sur les joues. Vingt-six ans à peine mais on s'accordait à dire qu'elle mourrait vieille fille. Quoi qu'il en soit, ce fut elle qui, la première, remarqua que Benny avait changé.

— Qu'est-ce qu'il y a, Benny, qui ne va pas?

— Mais rien, répondit-il.

Benny était maigre et plutôt petit, avec un visage long et étroit, une bouche charnue légèrement de travers. Ses grandes mains qui attiraient l'attention, il préférait les dissimuler dans ses poches. De fait, il semblait dissimuler toute sa personne; il cherchait toujours à se tenir derrière une chaise ou dans la pénombre de façon à ne pas se faire remarquer. Quand il avait échoué en 9e année à F.F.H.S., son professeur, un M. Perkins, l'avait renvoyé chez lui avec la note suivante: «Benjamin n'a pas la bosse de l'étude mais il a tout ce qu'il faut pour faire un bon citoyen. Il est honnête, attentif et bûcheur. Je vous recommanderais de lui faire apprendre un métier.»

Quand M. Garber eut lu les commentaires du professeur, il secoua la tête, réduisit le papier en boule. «Un métier? demanda-t-il en secouant la tête. Un métier?»

Madame Garber demanda alors d'une voix ferme:

— N'as-tu pas toi-même un métier?

— Le fils de Shapiro deviendra médecin, dit Garber en guise d'argument.

— Le fils de Shapiro!

Cela fut la seule autre réaction de Mme Garber.

Mine de rien, Benny avait récupéré la note, l'avait défroissée et mise dans sa poche, où elle était restée.

Dès le lendemain de son retour à Montréal, Benny se rendit au garage d'Abe.

— Je n'ai pas besoin de deux semaines de vacances.

— Épatant, dit Abe tout joyeux. Je vois que tu es devenu un homme. Tu verras, ça va te servir dans la vie.

Abe travaillait très fort, jour et nuit. Il crut que la présence de son frère aiguillonnerait ses affaires. « Tiens, c'est mon jeune frère Benny, disait-il aux chauffeurs de taxi. Quatre ans dans l'infanterie, dont deux au front. Je vous dis, un gars endurci. »

Pendant les premières semaines, Abe fut content de Benny. « Il est lent, rapporta-t-il à son père, il n'a pas le génie de la mécanique, mais il est aimé des clients. Il va apprendre. » Puis Abe commença à remarquer certaines choses. Quand les affaires étaient lentes, Benny n'en profitait pas pour nettoyer l'atelier. Il s'assoyait dans un coin sombre, et tremblait, les mains sur les genoux. La première fois qu'Abe remarqua cette attitude de son frère, il lui demanda :

— Qu'est-ce que tu as ? T'as le frisson ?

— Non, j'ai rien.

— Tu veux retourner à la maison ?

— Non.

Chaque fois qu'il pleuvait, et il plut souvent ce printemps-là, Benny disparaissait, ce qui mettait Abe en rage. Un jour, finalement, pendant un orage, Abe voulut aller aux toilettes, mais la porte lui résista. « Benny, cria-t-il, sors de là, je sais que tu y es. »

Benny ne répondit pas et Abe alla chercher la clef. Il trouva son frère recroquevillé dans un coin, frissonnant, la tête enfouie entre ses jambes, le visage en sueur malgré le froid.

— Il pleut, dit Benny.

— Benny, lève-toi. Qu'est-ce qu'il y a ?

— Va-t'en. Il pleut.

— Je vais aller chercher un médecin, Benny.

— Non. Va-t'en. S'il vous plaît, Abe.

— Mais Benny !

Benny se mit à trembler violemment, comme s'il avait été fouetté de l'intérieur. La crise passée, il regarda Abe sans rien dire, la bouche ouverte. Puis il répéta : « Il pleut. »

Le lendemain matin, Abe alla voir M. Garber.

— Je ne sais pas quoi faire.

La guerre lui a laissé un mauvais souvenir, dit Mme Garber.

— D'autres jeunes hommes sont allés à la guerre.

— Le fils de Shapiro, dit M. Garber, était officier.

— Le fils de Shapiro ! répéta Mme Garber. Abe, donne un congé à ton frère. Et force-le à accepter. C'est un bon garçon. Parmi les meilleurs.

Benny ne sut pas comment profiter de ses vacances. Il se levait tard et il commença à flâner chez *Pop's Cigar & Soda.*

— Je n'aime pas cela, dit Myerson. J'ai besoin de lui comme j'ai besoin d'un cancer.

Un des joueurs de cartes émit l'hypothèse que le garçon avait des troubles psychologiques. Mais, d'autre part, il était évident que Bella appréciait la compagnie de Benny et, après un temps, son père cessa de critiquer.

— Après tout, le garçon est peut-être sérieux, admit-il. Bella boite, elle n'est pas, disons jolie jolie. Je ne peux quand même pas faire le difficile. Et puis, en plus, il est honnête. Ce n'est pas comme s'il ressemblait au fils de Huberman.

— Retire ce que tu viens de dire. Le fils de Huberman a été victime des circonstances. Il prenait soin d'un sac de voyage pour un étranger, un parfait étranger, quand la police est intervenue.

Bella et Benny n'étaient pas très bavards quand ils étaient ensemble; elle tricotait, il fumait. Il observait en silence sa démarche boiteuse avec un mélange de désir et de consternation. La lettre de M. Perkins était toujours là, dans sa poche. Parfois, Bella lui demandait s'il voulait une tasse de café; il répondait qu'il ne dirait pas non.

Vers cinq heures de l'après-midi, il se levait. Bella sortait de derrière son comptoir pour lui remettre une pile de magazines. À la maison, le soir, il les lisait de la première page à la dernière et, le lendemain matin, il les lui rapportait comme neufs. Il s'assoyait avec elle, regardant ses mains ou le lino marbré.

Un jour, plutôt que de retourner à la maison vers cinq heures, Benny monta avec Bella. Myerson, qui les observait, esquissa un sourire. Il se tourna vers Shub et lui dit: « Si j'avais un garçon, je ne pourrais pas en souhaiter un qui soit meilleur que Benny. »

— Ah ah ! On vend la peau de l'ours avant de l'avoir tué?

Le congé de Benny s'étira sur plusieurs semaines. Chaque matin, il s'assoyait au comptoir chez *Pop's Cigar & Soda* et, chaque après-midi, montait avec Bella en prétendant ne pas entendre les pointes lancées sur leur passage par les joueurs de cartes. Un après-midi, Bella demanda à son père de monter les rejoindre.

— Nous avons décidé de nous marier, lui annonça-t-elle.

— Dans ce cas, vous avez ma permission.

— N'allez-vous pas nous souhaiter bonne chance, enfin, dire quelque chose?

— C'est votre avenir que vous engagez, pas le mien.

Ils eurent un mariage très simple, sans discours, dans une petite synagogue. Quand la cérémonie fut terminée, Abe donna à son frère cadet une grande claque dans le dos en s'exclamant :

— Atta boy, Benny. Atta boy.

— Je peux reprendre mon travail ?

— Bien oui, mon vieux. Tu es retombé sur tes pattes, je vois ça.

Benny remarqua que son père, toutefois, ne semblait pas trop satisfait de cette union. Chaque fois qu'un copain l'en félicitait, le père haussait les épaules.

— Le fils de Shapiro a épousé une Segal.

— Le fils de Shapiro ! répétait Mme Garber.

Benny retourna au garage et, cette fois, se mit au travail pour de bon, ce qui plut grandement à son frère et patron. « Ça, c'est mon jeune frère, disait celui-ci aux chauffeurs de taxi. Marié depuis six semaines à peine et il en a déjà un au four. Il est vite en affaires, je vous le garantis ! »

Non seulement Benny prit son travail très au sérieux mais il riait aussi de temps en temps et, avec Bella, se mit à préparer l'avenir. Cependant, il lui arrivait — c'était en général pendant les périodes creuses — de s'asseoir dans un coin sombre, bouche cousue. Il y avait trois mois, quatre mois peut-être, qu'il était retourné au travail quand Bella s'en fut voir Abe. Elle rentra chez elle, rue Saint-Urbain, le visage rouge et triomphant, et annonça à Benny :

— Abe va ouvrir un autre garage rue Mont-Royal et c'est toi qui vas t'en occuper.

— Mais je n'en veux pas. Je ne saurais comment faire.

— Nous allons devenir associés pour le nouveau garage.

— J'aimerais mieux qu'Abe soit le seul propriétaire.

Bella expliqua qu'ils devaient penser à l'avenir de leur enfant. Elle jura que leur fils n'allait pas être élevé au-dessus d'un « magasin de cigares et soda », dans une maison où il n'y avait même pas une douche. Elle voulait un réfrigérateur et comptait bien qu'avec leurs économies ils pourraient acheter une voiture. L'année suivante, après la naissance du bébé, elle espérait qu'ils auraient mis assez d'argent de côté pour lui permettre de se rendre dans une clinique américaine où elle subirait une opération au pied.

— Je suis allé voir le docteur Shapiro hier et il m'a assuré qu'il y avait une clinique à Boston où on fait des miracles tous les jours.

— Il t'a examinée ? demanda Benny.

— Il a été très, très gentil. Pas du tout un snob, tu vois ce que je veux dire ?

— Est-ce qu'il se souvient d'être allé à l'école avec moi ?

— Non, répondit Bella.

Bella se réveilla à trois heures du matin. Benny était recroquevillé dans un coin, la tête enfouie entre les jambes.

— Il pleut, dit-il. On entend le tonnerre.

— Un homme qui a combattu pendant la guerre, ce n'est pas un peu de pluie qui va l'effrayer ?

— Oh ! Bella, Bella, Bella !

Elle voulut lui passer la main dans les cheveux, mais il se détourna brusquement.

— Veux-tu que j'appelle un médecin ?

— Le fils Shapiro peut-être ? demanda-t-il en ricanant.

— Pourquoi pas ?

— Bella, Bella, Bella!

— Je vais à côté, chez les Idelsohn, téléphoner au médecin. Ne bouge pas. Détends-toi un peu.

Quand elle revint dans la chambre, il n'était plus là.

Myerson arriva vers huit heures du matin. Monsieur et Mme Garber l'accompagnaient.

— Est-il mort? demanda Bella.

— Le fils Shapiro, dit Garber, a affirmé que la mort fut rapide.

— Le fils Shapiro! répéta Mme Garber.

— Le chauffeur ne peut être tenu responsable, dit Myerson.

— Oui, je sais, répondit Bella.

8

JE N'AVAIS PAS TOUT À FAIT HUIT ANS quand je m'attirai des ennuis à cause d'une fille. Charna habitait à l'étage au-dessus ; nous jouions ensemble depuis toujours et jamais il ne s'était produit d'incident. Et puis, un jour de printemps, j'en eus assez de jouer aux billes. Le temps d'un éclair et la lumière se fit dans ma tête.

— Je sais quoi. Nous allons jouer à l'hôpital. Moi, je suis le docteur, tu vois, et toi, tu es la malade. Y a-t-il quelqu'un chez toi ?

— Non, pourquoi ?

— Ce serait plutôt comme un jeu qu'on joue dans'maison. Viens.

Je ne faisais que commencer un examen préliminaire quand la mère de Charna revint chez elle.

Je fus puni en deux temps. Je dus aller au lit sans dîner et on me lava la bouche avec du savon.

— Vaut mieux que tu lui parles, dit ma mère. C'est pire quand ils apprennent ce genre de choses dans la rue.

— Notre fils me semble très bien renseigné, répliqua mon père.

Si je ne l'étais pas, c'était sans conteste la faute de ma mère. Quelques années plus tôt, elle m'avait assuré que les bébés s'achetaient chez Eaton. Quand elle voulait me faire peur afin que je me conduise mieux, elle allait au téléphone en disant: «J'appelle Eaton tout de suite et je vais t'échanger pour une petite fille.»

Ma sœur ne pouvait résister au plaisir d'ajouter à mon malaise: «Peut-être bien que la maison Eaton ne voudra pas le reprendre. Ce n'est pas la semaine des aubaines du sous-sol, vous savez.»

— Alors, je l'envoie chez Morgan.

— Morgan n'emploie pas de Juifs, ajoutait mon père en regardant par-dessus son journal.

Duddy Kravitz m'affranchit du mythe des magasins à rayons. Il savait tout ce qu'il fallait savoir au sujet des bébés.

— Tu les fais avec de la graine de semence. Que tu plantes.

— Où que tu la plantes?

— Où?... Jésus Christ!

Duddy savait aussi comment s'y prendre avec les filles. Alors que nous avions tous les deux douze ans et que nous commencions à sortir avec elles, il me demanda:

— Quand tu vas à une danse, qu'est-ce que tu fais tout d'abord?

— Je demande la plus jolie pour danser.

— Mais non, sans dessein.

Duddy m'expliqua que tout le monde allait à une danse avec la même idée derrière la tête. Ce qu'il fallait faire, c'était de s'occuper de la troisième plus jolie fille pendant que tous les autres tournaient autour de la plus jolie tête de liste. Afin que je poursuive mon éducation, il me vendit pour un dollar *L'art du baiser*. «Quand tu l'auras terminé, dit-il, et s'il est encore en bon état, rapporte-le-moi et je te prêterai un exemplaire de *Comment faire l'amour*, pour cinquante cents. O.K.?»

Le premier chapitre de *L'art du baiser* s'intitulait «Comment faire des avances à une jeune fille».

Quand on embrasse une jeune fille peu expérimentée, il est bon de préparer la voie vers les lèvres. Seulement un imbécile s'empare brusquement d'une telle jeune fille, alors qu'ils sont tous les deux assis confortablement sur le canapé, et lui plaque un baiser sur la bouche. Ce qu'un jeune homme doit faire en premier lieu, bien entendu, c'est de s'organiser de sorte qu'elle soit assise contre le bras du fauteuil et lui-même juste à côté. De cette façon, elle ne pourra pas s'éloigner peu à peu quand il manifestera le sérieux de ses intentions.

— Hé, me cria ma sœur, tu vas rester là encore longtemps?

— Le temps qu'il me plaira.

— Je veux prendre mon bain. Je suis en retard.

Si elle recule, ne vous en faites pas. Si elle recule et proteste, ne vous en faites pas. Si elle recule, proteste et cherche à se lever, ne vous en faites pas. Retenez-la, doucement mais fermement, et calmez ses craintes par des mots rassurants.

— Quand tu vas sortir de là, je vais te tordre le cou.

— Toi et qui d'autre?

... et la prochaine étape consiste à la complimenter. Toutes les femmes aiment la flatterie. Elles aiment se faire dire qu'elles sont belles, même quand le miroir leur renvoie le mensonge en pleine face.

Flattez-la!

Ce que vous avez entrevu en rêve se présente à vous: les lèvres voluptueuses et fondantes de la femme que vous désirez. Mais ne restez pas passivement à surveiller ses lèvres qui frémissent.

Faites le nécessaire!

— Pourquoi as-tu bouché le trou de la serrure?

— Parce qu'il y a des gens comme toi qui aiment espionner.

— Ah bon! Je comprends. Maintenant je sais ce que tu fais là. Espèce de p'tit cochon. Ça va t'empêcher de grandir.

...on fait bien des histoires sur le sujet suivant: doit-on fermer les yeux quand on embrasse ou quand on est embrassé? Personnellement, je ne suis pas d'accord avec ceux qui conseillent de fermer les yeux. Pour moi, le plaisir se trouve augmenté par le spectacle de l'émotion et de la félicité qui se joue sur le visage de ma bien-aimée.

— Tiens, elle est toute à toi, dis-je avec emphase en ouvrant la porte.

Nos soirées avaient habituellement lieu chez une des filles; il était bien vu d'apporter les derniers succès du disque: *Besame Mucho, Dance Ballerine Dance* et *Tico Tico*. Nous dansions le boogie pendant un certain temps. Puis nous demandions de plus en plus des morceaux lents et des fox-trot. Duddy s'avançait alors et s'éclaircissait le gosier pour demander: «Hé, est-ce que la lumière ne vous fait pas mal aux yeux?»

Un ou deux garçons tâtaient le terrain, ou le préparaient en risquant des calembours où des noms célèbres devenaient suggestifs ou indécents.

Cette période nouvelle des soirées dansantes fut aussi, pour moi du moins, une période de complications. Mon visage se couvrit de boutons du jour au lendemain. De plus, j'étais petit et chétif pour mon âge. Or, d'après l'auteur de *L'art du baiser,* c'était essentiel pour l'homme d'être plus grand que la femme.

> *Il doit être capable, de ses bras vigoureux, de la tenir comme pour la soulever. Il doit pouvoir la dominer par sa stature, incliner la tête pour la regarder et lui entourer le menton de ses doigts. Et puis, se penchant vers elle, il posera ses lèvres impatientes et viriles sur sa bouche invitante, humide, légèrement entrouverte. Tout cela est impossible si la femme est plus grande. Le baiser devient alors d'une banalité ridicule, la maîtrise n'existe pas, rien n'existe sauf le fait que deux lèvres entrent en contact avec deux autres lèvres. Rien ne peut être plus décevant.*

La plupart des filles ne voulaient pas m'accorder un second rendez-vous, de sorte que mes camarades devaient se charger de me trouver des compagnes. Duddy appelait une fille sans méfiance et lui disait d'une voix pressante: «Tu es libre samedi soir? J'ai ici un ami de Détroit. On pourrait aller danser.»

La jeune fille acceptait sans enthousiasme et, après coup, se plaignait qu'on lui ait présenté un avorton. Aussi Duddy me prit-il à part un jour: «Pourquoi n'essaies-tu pas d'améliorer ton physique? me dit-il. Fais quelque chose, bon sang!»

J'écrivis à Joe Weider, l'entraîneur des champions. Par retour du courrier, je reçus un magazine intitulé: *Comment développer UNE PUISSANTE MUSCULATURE sous la direction de WEIDER.*

Soyez mâles
Excitez le désir
Regardez-vous dans le miroir: POUVEZ-VOUS vraiment attirer l'AMOUR?

Que vous révèle le miroir? Un individu maladif, boutonneux, gringalet, ou une PERSONNALITÉ à la WEIDER, VIBRANTE, mâle, romantique? Si vous étiez une jeune femme enjouée, attrayante, lequel des deux hommes choisiriez-vous? Le type fatigué, apathique, terne, ou l'HOMME vigoureux, énergique, puissant, capable de protéger sa belle et de lui offrir ce qu'elle désire?

Hélas! je ne pouvais me payer un entraîneur comme Weider. Je voulus alors m'essayer à la boxe au «Y» mais je fus mis hors de combat dès la deuxième fois où je montai dans l'arène. J'aurais toutefois persévéré n'eût été le fait que mon partenaire d'entraînement habituel, un nommé Herkey Samuels, avait la vilaine habitude de se moucher sur son gant juste avant de me frapper. D'ailleurs, je ne grandissais pas pour autant. Je n'étais pas exactement arrêté dans ma croissance mais un certain nombre des garçons avaient commencé à se raser. Les filles, elles, s'habituaient au rouge à lèvres et aux talons hauts, pour ne pas mentionner les soutiens-gorge.

Arty, Stan, Hershey, Gas et moi, nous nous maintenions tant bien que mal au secondaire et c'est à cette époque que nous avons subi un véritable choc. Les filles des environs que nous avions fidèlement poursuivies de nos attentions pendant des années nous laissèrent tomber au bénéfice de garçons plus vieux, qui avaient un emploi ou étudiaient à McGill, bref, de n'importe quel garçon avant dix-huit ans et une voiture à sa disposition.

— Elles se croient quelqu'un, dit Arty, parce que tout d'un coup il s'est mis à leur pousser des cornichons.

— T'as vu le gars qui est venu chercher Hélène ? Le *shmock* n° 1 de toute l'Amérique.

— Ça, c'est sans parler du cave qui sort avec Libby.

Le samedi soir, nous nous assoyions sur les marches et regardions, l'œil triste, les filles sortir d'un pas léger, en robes de soirée, et aller, infailliblement, prendre place dans la voiture d'un étranger. Elles se fondaient dans le lointain de la nuit sans même nous avoir adressé un petit salut de la main. Il était devenu évident qu'une double attraction du *Rialto* et, après le cinéma, un sandwich aux tomates avec Coke ne constituaient plus, pour elles, une soirée à la hauteur de leur pouvoir de séduction. C'était bon « pour les enfants », comme l'une laissa tomber avec dédain. Maintenant, elles allaient aux danses des clubs d'étudiants ou dans des boîtes de nuit où, à les entendre, elles sirotaient d'innombrables *Singapore Slings*.

— Laissons-les avoir leurs petites sorties qui cassent rien, déclara Arty. Elles reviendront bientôt en rampant. Attendez, que j'vous dis.

Nous attendîmes et attendîmes. Découragés enfin, nous délaissâmes complètement les filles pour un temps et nous prîmes l'habitude de jouer au *black-jack* le samedi soir.

— Ouais ! Quand je pense à tout le *mezuma* que j'ai mis sur Gitel.

— Laisse faire. De toute façon, j'aime mieux perdre de l'argent aux mains d'un ami, un vrai, dit Duddy en ramassant la somme qu'il venait de gagner, « que de le dépenser sur des filles ».

— Elles me dégoûtent, ces putains-là qui sortent en auto avec des étrangers. Vous savez ce qu'ils font ? Ils s'arrêtent sur un petit chemin de campagne...

— Oui, tu dis que... ?

— J'aimerais pas voir une fille comme Libby, qui est gentille, se mettre des complications sur le dos et quand je dis sur le dos, c'est une façon de parler.

Duddy nous raconta une histoire de filles japonaises qui se faisaient jouir en se balançant dans des hamacs, mais personne ne crut son histoire bien qu'il affirmât avec insistance qu'il avait en sa possession le livre où il l'avait lue et qu'il était prêt à le louer.

— Hé ! demanda Stan, vous savez pourquoi les filles juives doivent porter des maillots en deux parties ?

Personne ne le savait.

— Parce que le lait ne va pas avec la viande.

— Très drôle, dit Duddy. Maintenant, donne les cartes.

— Je vais vous dire quelque chose qui n'est pas une histoire. Les moines ne sortent jamais avec les femmes. Et c'est comme ça pour tout le temps qu'il leur reste à vivre.

— Les moines sont des catholiques, imbécile.

Nous nous sommes fatigués de jouer au poker et, le samedi soir, nous avons pris l'habitude de fréquenter la rue Sainte-Catherine, allant dans un sens puis dans l'autre le long des néons géants, nous arrêtant en bande, ici pour acheter un hot-dog, là pour jouer au billard automatique, mais sans jamais oublier notre but premier, qui était de taquiner les filles qui passaient. Nous avons tenté notre chance au *Palais d'Or* une ou deux fois. Duddy nous avait mis en garde: «Quoi qu'il arrive, les gars, ne leur donnez jamais votre vrai nom.» Mais la plupart des filles haussaient les épaules dédaigneusement: «Envoie-nous ton grand frère, fiston.» Nous en sommes venus à la conclusion que le parc Belmont était plus indiqué pour rencontrer en quantité des filles plus jeunes. La musique de *Mark Kenny and His Western Gentlemen* nous fit danser, la maison de l'horreur et les jeux motorisés nous firent bien rire. Nous jouâmes passablement au billard russe.

— Est-ce que je t'ai fait instruire, me demanda mon père, pour faire de toi un voyou de salle de pool?

Puis je tombai amoureux.

Zelda habitait Outremont. Elle avait une jolie tête blonde et de longs cils foncés. La veille de notre premier rendez-vous, je consultai dans *L'art du baiser* le chapitre intitulé «Comment embrasser les jeunes filles selon la grandeur de leur bouche».

> *Un autre point à clarifier maintenant concerne la grandeur de bouche de la jeune fille. Si sa bouche est du type mince en forme de bouton de rose, cela ne pose aucun problème. Toutefois, il y a beaucoup de filles dont les lèvres sont grandes et généreuses, le genre Joan Crawford, par exemple. Pour baiser de*

telles lèvres, il faut modifier sa technique. En effet, si les lèvres du jeune homme restent centrées, il en résulte une perte de superficie non embrassée. Il faut, par conséquent, qu'il relève ses lèvres quelque peu et fasse le tour des lèvres de la jeune fille, s'arrêtant de temps à autre pour déposer un baiser ferme en passant. Quand il aura fait le tour complet des lèvres, il retournera immédiatement au centre du festin savourer le miel de la fleur offerte.

J'amenai Zelda à une danse du « Y » et, au retour, sur le seuil de sa porte, je voulus embrasser ses lèvres fortes et généreuses. Elle se dégagea avec raideur : « Je croyais, dit-elle, que vous étiez un type plus sérieux. »

Duddy se mit en frais de me trouver une autre camarade. Parmi le nombre illimité de filles qu'il connaissait, il y en avait toujours une dont la cousine portait d'épaisses lunettes — « C'est un boute-en-train, tu sais » — ou dont la sœur était jeunette — « Sans blague, elle paraît avoir seize ans, en talons hauts » — et celles-là, hélas ! étaient mon lot.

9

MERVYN KAPLANSKY VINT, par un samedi après-midi du mois d'août, s'enquérir de la chambre sur la cour.

— Douze dollars par semaine, dit mon père, et payables d'avance.

Mervyn déposa quarante-huit dollars sur la table. Étonné, mon père recula d'un pas.

— Vous avez l'air bien pressé ! Prenez connaissance des lieux pour commencer. Si, des fois, vous ne vous plaisiez pas ici ?

— Croyez-vous à l'électricité ?

Il n'y avait aucune lumière dans la maison.

— Nous ne sommes pas avaricieux, expliqua mon père, mais nous sommes de religion orthodoxe. C'est *shabbus* aujourd'hui,

— Non, non. Je parle de courant entre individus.

— Vous êtes quoi, au juste ? Êtes-vous sérieux ?

— Je le suis. Aussitôt que je suis entré ici, je me suis senti sur la même longueur d'onde... Bonjour, mon gars. Mervyn me sourit avec désinvolture, mais la main qu'il tendit pour m'ébouriffer était fiévreuse et tremblait. « Je vais me plaire ici. »

Mon père l'observait, déconcerté mais trop intimidé pour protester. Mervyn s'assit sur le lit, puis rebondit légèrement pour en éprouver le matelas. « Va chercher ta mère tout de suite », me dit mon père.

Heureusement, elle entra dans la chambre à ce moment-là, ce qui me permit de rester présent.

Mervyn se leva.

— Je suis votre nouveau locataire, annonça-t-il.

— Minute, minute ! dit mon père en se passant les pouces derrière les bretelles. Vous faites quoi, dans la vie ?

— J'écris.

— Pour quelle compagnie ?

— Non, non. Pour moi-même. Je suis un écrivain, un créateur.

Mon père vit immédiatement que maman était enchantée et se fit à l'idée d'une nouvelle défaite. Toutefois il demanda :

— Vous n'avez pas de bagages ?

— Quand Oscar Wilde arriva aux États-Unis, et qu'on lui demanda s'il avait quelque chose à déclarer, il répondit : « Seulement mon génie. »

Mon père prit un air revêche.

— Mes bagages sont à la gare, précisa Mervyn en avalant avec difficulté. Je peux les apporter.

— Apportez-les.

Mervyn revint à peu près une heure plus tard, avec une malle, plusieurs mallettes et un assortiment de curiosités : un bois d'épave, une bouteille à vin transformée en pied de lampe, une collection de galets, une réplique de douze pouces de hauteur du *Penseur* de

Rodin, une affiche de corrida, un portrait de G. B. Shaw par Karsh, des cahiers de notes innombrables, un stylo feutre avec mini-lampe et, encadré, un chèque de quatorze dollars et quatre-vingt-cinq cents à l'en-tête du *Family Herald & Weekly Star*.

— Si vous voulez emprunter n'importe lequel de nos volumes, lui dit ma mère, soyez bien à l'aise.

— Merci bien. Mais j'essaie de ne pas lire beaucoup maintenant que je suis devenu moi-même, disons, un fabricant. J'aurais peur de subir des influences, vous comprenez.

Mervyn n'était pas très grand. C'était un garçon plutôt gras aux cheveux noirs ondulés, aux yeux chaleureux et limpides, au sourire engageant. Sa chemise tendue bâillait entre chaque bouton, laissant voir son gilet de corps. Le dernier bouton avait probablement sauté. Mervyn devait avoir au moins vingt-trois ans. C'est ce que je supposais, mais il paraissait beaucoup plus jeune. Mon père lui demanda :

— Vous venez d'où, avez-vous dit ?

— Je ne l'ai pas dit.

Les pouces ancrés dans ses bretelles, et se soulevant des talons, mon père attendit.

— Toronto, dit Mervyn avec rancœur. Toronto la sainte. Mon père est un gros agent d'assurances et mes frères s'occupent de sous-vêtements pour dames. Ils sont dans la course à l'argent. Ils y sont tous, sauf moi.

— Vous allez vous rendre compte que dans cette maison, lui dit ma mère, nous ne sommes pas matérialistes.

Mervyn dormait — ou, comme il disait, accumulait l'inconscient — jusque vers midi. Il tapait tout l'après-midi, puis, épuisé, retournait au sommeil. Il tapait de nouveau le soir jusqu'à une heure avancée. C'était le premier écrivain que je connaissais et j'éprouvai dès le début un véritable culte pour lui. Il en était de même pour ma mère.

— As-tu déjà remarqué ses mains? me demanda-t-elle. Je crus qu'elle allait me faire un sermon sur le fait qu'il se rongeait les ongles, mais elle se contenta d'ajouter: « Ce sont des mains d'artiste. Ton grand-père avait des mains comme les siennes. » Si un voisin venait, en passant, et prenait le thé, ma mère murmurait: « Nous devons parler à voix basse », et, indiquant de la tête la source du tactac, ajoutait que « Mervyn est en train de créer ».

Ma mère préparait des plats tout spécialement pour lui. Un bon potage, croyait-elle, est particulièrement nourrissant; le poisson est excellent pour le cerveau. Mervyn ne devait manger ni chocolats ni noix à cause de son teint, mais elle lui apportait du café à toute heure. Un jour complet sans signe de vie venant de la chambre sur la cour la rendait extrêmement inquiète. Elle finissait par aller frapper doucement à la porte de son locataire.

— Je peux vous apporter quelque chose?

— Il n'y a rien à faire, je me sens vidé aujourd'hui. Je dois vous dire que je traverse parfois des périodes comme celle-ci.

Mervyn écrivait un roman, son premier, ayant pour sujet la lutte des nôtres dans une société hostile. Seule ma mère en connaissait le titre. D'ailleurs, il lui en lut des passages à l'occasion. Elle ne fit qu'une seule réserve: « Je n'emploierais pas le mot putain, qui n'est pas joli. Pourquoi ne pas dire: une femme de mœurs légères? » De fil en aiguille, ils se mirent à discuter de littérature.

— Shakespeare, disait ma mère, Shakespeare connaissait tout ce qu'il faut connaître.

— Oui, approuvait Mervyn, mais il a pris toutes ses intrigues chez les autres. C'était un plagiaire.

Ma mère lui parla de son père, le rabbin, et des livres qu'il avait écrits en yiddish. «À ses funérailles, lui dit-elle, ils ont dû avoir six agents en motocyclette tellement il y avait du monde.» Plus d'une fois en revenant de son travail, mon père les trouva tous les deux encore assis à la table de cuisine; ou bien le repas n'était pas prêt ou bien il devait se contenter de mets froids. Rougissant, s'excusant et bégayant, Mervyn rentrait précipitamment dans sa chambre. Je crois bien qu'il était le seul homme à avoir peur de mon père, qui s'en trouva la tête un peu enflée. Il devenait brusque et même jurait devant Mervyn et, dans son dos, l'appelait *Moitle.* À tout considérer, le seul grief sérieux qu'avait mon père à son égard était le fait que sa femme ne lui cuisait plus de pommes de terre kugel parce que la fécule ne valait rien pour le jeune homme. Mon père commença à passer pas mal de temps à jouer aux cartes chez *Tansky's Cigar & Soda.* Quand Mervyn retarda de payer son loyer, il menaça d'intervenir.

— Mais tu ne peux pas l'ennuyer maintenant, lui reprocha ma mère, juste au moment où il est au beau milieu de son roman. Il travaille tellement fort. C'est peut-être un génie.

— Un génie, mon œil. Ou alors, pourquoi qu'il est ici?

J'avais l'habitude d'aller chercher pour Mervyn, à la pharmacie du coin, des cigarettes et des comprimés contre le mal de tête. Certains jours, quand «rien ne venait», nous jouions au casino tous les deux. À son mieux, il était désinvolte et spirituel. Il me dit un jour — était-ce une blague ? — qu'il visait à surpasser Émile Zola. Il me laissa lire une de ses nouvelles qui avait été imprimée dans des magazines australiens et sud-africains. Je lui dis que je voulais devenir un écrivain, moi aussi. « Écoute un bon conseil, mon vieux. Ne deviens jamais un forgeur de belles phrases. Tu trouveras plus facile de creuser des fossés au pic et à la pelle. »

À partir de son arrivée chez nous, Mervyn avait toujours travaillé fort. Maintenant que ses finances étaient au plus bas, il voulait tellement terminer son roman qu'il ne sortait presque jamais, même pas pour une courte promenade. Trouvant que cela était mauvais pour sa digestion, ma mère lui fixa un rendez-vous avec Molly Rosen qui habitait seulement à trois portes de la maison et qui, certainement, était la plus jolie fille de la rue Saint-Urbain. Ma mère avait remarqué que depuis plusieurs semaines Mervyn se trouvait toujours à la fenêtre, comme par hasard, au moment où Molly revenait de son travail.

— Allez, vous êtes encore tout jeune, une sortie vous fera du bien. Oubliez votre roman pour une fois.

— Mais je ne vois pas pourquoi Molly voudrait...

— Elle se meurt d'envie de faire votre connaissance. Elle n'en finit pas de me poser des questions.

Mervyn se plaignit de ne pas avoir de chemise propre et d'avoir mal à la tête, mais ma mère lui dit : « Faut pas avoir peur, elle ne vous mangera pas, vous savez. » L'attitude du jeune homme changea tout d'un coup. Il pencha la tête de côté avec assurance. « Ne restez pas debout à m'attendre », dit-il. Mais il revint tôt.

— Vous rentrez déjà ? demandai-je.

— Je m'embêtais.

— *Avec* Molly ?

— Molly est un insecte. Le sexe, tu sais, on lui accorde trop d'importance. Sans compter qu'il sape l'énergie créatrice d'un artiste.

Quand ma mère revint de sa réunion du Talmud Torah et découvrit que Mervyn était rentré si tôt, elle eut l'impression de subir un affront personnel, Elle invita donc Mme Rosen à venir prendre le thé.

— Un samedi soir, expliqua celle-ci. Elle met sa plus belle robe et cet avaricieux, où l'amène-t-il ? À la montagne. Savez-vous qu'elle a refusé trois autres invitations, dont celle du fils unique de *Ready-To-Wear,* parce que vous aviez fait un tel *gedille* ?

— Un imbécile comme le fils de *Ready-To-Wear,* elle peut le voir n'importe quel soir de la semaine. Mervyn est un artiste créateur.

— Amener un beau brin de fille comme la mienne, un samedi soir, pour aller s'asseoir à la montagne ? Sur un banc où vous pouvez attraper des hémorroïdes ?

— Ah non ! quand même ! C'est dégoûtant.

— Elle met ses souliers de danse et, lui, vous savez ce qu'il croit être une sortie ? Regarder les passants ! Il aime imaginer des histoires à leur sujet, et les raconter. Ce qui laisse supposer que ça lui brise le cœur de dépenser un dollar.

— Alors, vous voulez faire de votre fille une soutireuse d'argent, une sangsue ? J'aurais honte à votre place.

— Ah bon ! Je ne voulais pas faire de racontars mais puisque vous prenez les choses comme ça... Il lui a dit qu'un homme et une femme, quand ils sont modernes, font l'expérience de... de l'intimité avant, oui, avant le mariage, Et là, sur le banc, il a essayé de faire des choses pas propres avec elle. Il...

— Vous n'avez pas à me faire un dessin. Avec votre Molly, telle que je le connais, il n'a pas dû avoir à essayer bien fort.

— Comment osez-vous? Si elle est sortie avec lui, c'était pour vous faire une faveur, en échange de votre recette de gâteau marbré. Le sale pingre l'a demandée en mariage sans même avoir un emploi. Elle lui a ri au nez.

Mervyn nia s'être mal conduit avec Molly; il respectait trop les jeunes filles, dit-il. Après que mon père eut appris qu'il était entré si tôt ce soir-là, il cessa de le taquiner quand il se tenait à la fenêtre pour regarder passer Molly. Il résista au désir de faire le malin quand le petit frère de Molly rapporta ses lettres, épaisses et non ouvertes. Il essaya même de le consoler: «Avec une serviette sur le visage, dit-il un peu rudement, elles se ressemblent toutes.»

Mervyn rougit. Il toussa. Mon père se détourna, dégoûté.

— Ne vous y trompez pas, déclara le jeune homme avec un sourire suffisant. «Vous parlez à un jeune homme qui a de l'expérience. Nous, les gratte-papier, sommes des débauchés notoires.»

De nouveau, il tarda à payer son loyer et mon père protesta.

— Faut pas lui faire des ennuis maintenant, objecta ma mère. Il est à l'agonie. L'inspiration ne lui vient pas aujourd'hui.

— Ouais, l'argent non plus.

— Hier, il m'a lu un chapitre de son livre. Tu pourrais mourir, tellement c'est beau.

Ma mère raconta que F. J. Kugelman, le correspondant montréalais de *Jewish Daily Forward,* avait lu le manuscrit.

— Il dit que Mervyn est un écrivain très profond.

— Kugelman, c'est de la bouillie pour les chats. Si Mervyn est un si grand écrivain, qu'il me fasse un petit chèque pour ce qu'il me doit. C'est le genre d'écriture, tu sais, que moi, j'aime à lire.

— Donne-lui encore une semaine. Je suis sûre qu'il y aura du nouveau pour lui.

Mon père attendit une semaine en comptant les jours. Jour E moins trois jours, jour E moins deux, jour E moins un.

— Pas de nouveau pour le génie?

— Rien, même pas un pauvre dix sous.

Le génie, en fait, avait secrètement emprunté de ma mère de quoi poster son manuscrit à un éditeur de New York. Mon père s'impatienta quand ma mère lui demanda ce qu'il entendait par jour E. «Mais le jour de l'éviction!» répondit-il.

Le vendredi, la «cuisinière» avait préparé un Kugel aux pommes de terre pour son mari. Mais quand mon père arriva, il semblait surexcité et il demanda:

— Où est Mervyn?

— Tu ne peux même pas attendre que le repas soit fini?

— Vous voulez me voir?

Mervyn s'était glissé doucement dans la cuisine. Mon père rabattit un numéro du magazine *Liberty* sur la table, puis l'ouvrit à une page où se trouvait une nouvelle intitulée *Une poupée pour le diacre.*

— Mel Kane junior, n'est-ce pas ton... ton...?

— Son nom de plume, souffla ma mère.

— Cet écrit-là, c'est donc de toi?

Mon père donna une claque dans le dos de Mervyn.

— Tu aurais dû me dire que tu étais un écrivain. Je croyais que tu étais un... heu, un pédé. Tu sais ce que je veux dire. Un artiste manqué.

— Laisse-moi voir, demanda ma mère.

Il lui tendit le magazine tout en poursuivant son idée.

— Alors, tu as donc sorti tout ça de ton cerveau?

Mervyn fit oui de la tête et sourit, tout en se rendant compte que ma mère, elle, se rembrunissait.

— Ton histoire, c'est du numéro un, conclut mon père. Il sourit à ma mère. Et je croyais, pendant tout ce temps, que ce n'était qu'un pique-assiette, un poète. Mais c'est un écrivain. Qui aurait pensé!

Il eut un rire de satisfaction, s'excusa et alla se laver les mains.

— Je vous remets votre nouvelle, Mervyn, dit ma mère. Je préfère ne pas la lire.

Mervyn baissa la tête.

— Mais, m'man, il faut que tu comprennes. Il doit écrire ce genre de choses s'il veut gagner de l'argent. Il doit manger, tu sais.

Ma mère réfléchit une seconde.

— Eh bien ! un petit conseil alors. Il vaut mieux que mon mari ne sache pas pourquoi exactement... vous... comprenez.

— Certainement.

À table, mon père demanda:

— Dis donc, M. Kane, comment s'appelle ton roman?

— *Les Juifs dégoûtants.*

— Non, mais t'es pas fou?

— C'est un titre ironique, expliqua ma mère.

— Aieïoille ! C'en est un pour vrai !

— Je veux leur renvoyer leurs mensonges en plein visage.

— Ah oui ! Je vois.

Mon père invita le garçon à venir rencontrer la bande chez Tansky. « Une soirée chez Tansky, et tu en aurais assez pour écrire tout un livre. »

— Je ne crois pas que cela intéresserait Tansky.

Je pus saisir que notre pensionnaire ne voyait pas la chose du même œil mais il n'osa pas s'opposer au veto de sa protectrice. Me souvenant de ce qu'il m'avait dit un jour, je hasardai :

— Toutes les expériences sont bienvenues pour un écrivain qui veut créer.

— Oui, ça c'est vrai. Je n'aurais pas pensé à voir la chose de cette façon.

Mon père, Mervyn et moi, nous nous rendîmes donc chez Tansky. Mon père montra le numéro de *Liberty* à tous les habitués. Pendant que Mervyn fumait des cigarettes à la file, toussait, souriait sans raison et toussait de nouveau, mon père parla de lui comme de l'écrivain de demain.

— Si c'est un écrivain aussi important, c'est pas sa place rue Saint-Urbain. Qu'est-ce qu'il fait ici ?

Mon père expliqua qu'il venait tout juste de finir son premier roman. « Quand il aura sorti son livre, on pourra le compter bon frappeur dans les ligues majeures. »

Les habitués examinèrent le phénomène et son habit luisant.

— Vous devrez comprendre, dit Mervyn, que, au mieux, c'est difficile pour les artistes de gagner leur vie. La société leur est naturellement hostile.

— Alors, qu'est-ce qui est si spécial pour vous autres ! Moi, je suis plombier. La société, elle m'est pas hostile. N'empêche que j'ai le même problème. Tu sais, gagner sa vie, c'est dur pour tout le monde.

— Vous ne voyez pas ce que je veux dire, dit Mervyn en reculant d'un pas. Je suis en rébellion contre la société.

Tansky s'éloigna, dégoûté. « Gorki, bougonna-t-il. Ça, c'était un écrivain. Ce garçon... »

Le père de Molly se faufila dans le groupe qui entourait le jeune homme.

— Tu as écrit un roman, c'est vrai ?

— Qui est présentement entre les mains d'un gros éditeur de New York, répondit mon père.

— Tu ne dois pas oublier, lança Takifman avec une trace de menace, qu'il ne faut écrire que de bonnes choses au sujet des Juifs.

Shapiro cligna de l'œil en regardant Mervyn. Les habitués sourirent, quelques-uns timidement et les autres avec un air d'expectative. Mervyn les envisagea avec solennité. « J'ai le grand espoir, dit-il, que dans les années à venir notre peuple aura toutes les raisons au monde pour se sentir fier de moi. »

Segal paya un sandwich et un Pepsi à Mervyn.

— Dans six mois, je pourrai dire que je t'ai connu alors que...

— Je vais surpasser Émile Zola, déclara le jeune écrivain, pivotant sur son tabouret et riant de toutes ses dents.

— Penses-tu que nous aurons une autre guerre ? demanda Perlman.

— Oh ! laissez-le tranquille, vous autres. Le bureau est fermé, pas vrai, Mervyn ?

Celui-ci se donna une claque sur les genoux et rit une fois de plus. Le père de Molly le prit à part.

— T'as écrit cette histoire, bien vrai? demanda-t-il en brandissant le magazine. Si c'est une blague, je vais vite le savoir.

— Oui. Je suis le gratte-papier qui a accouché de celle-là. Mais c'est mon roman qui est vraiment important pour moi.

— Tu sais qui je suis? Je suis le père de Molly, déclara M. Rosen en lui donnant la main. Ne t'inquiète pas. Laisse-moi faire.

Ma mère n'était pas encore couchée à notre retour. Elle était assise, seule, à la table de la cuisine.

— Vous êtes restés très tard, Mervyn.

— Personne ne le forçait à rester, tu sais.

— Il est trop poli, déclara ma mère en posant un signet en cuir repoussé à la page où elle avait arrêté sa lecture des *Hauts de Hurlevent.* Il n'aurait pas osé te le dire quand il en a eu assez de ces gens communs.

— Hé ! Mervyn. — Mon père repensait à la soirée. — Hé, qu'est-ce que tu penses de Takifman? C'est tout un personnage, hein?

Mervyn esquissa un sourire, mais un soupir de ma mère lui fit détourner les yeux.

— Je pense que j'ai un peu sommeil.

— Bon, dit mon père en descendant ses bretelles, que celui qui veut aller à la salle de lecture parle maintenant ou qu'il se taise à jamais.

— S'il te plaît, Sam. Tu parles ainsi juste pour me dégoûter, je sais bien.

Un petit sourire au coin des lèvres, mon père alla retrouver Mervyn dans sa chambre. Intrigué, celui-ci attendit. Mon père se frotta le front, se tira l'oreille.

— Tu sais, je ne suis pas un fou, tu dois savoir ça. Mais la vie te change un homme...

— Ah ! ça c'est sûr, monsieur Hersh.

— Tu ne vas pas finir la tienne comme moi, avec un beau zéro. Et je suis bien content pour toi. Bon, je te dis bonsoir.

Mon père n'alla pas au lit immédiatement. Il sortit sa collection de pipes, négligée pendant toutes ces années et se mit en frais, dans la cuisine, de les nettoyer et de les remettre en état. Dès le lendemain matin, il entreprit de chercher et de découper dans les journaux les reportages et les histoires présentant un intérêt dramatique dont Mervyn pourrait tirer parti. Quand il revint de son travail — et il revint tôt, sans s'arrêter chez Tansky — il ne demanda pas à être servi immédiatement. Il se rendit directement dans la chambre de Mervyn où je les entendis tous deux qui parlaient à voix basse. Finalement, ma mère dut interrompre leur conversation : Molly était au bout du fil.

— M. Kaplansky... Mervyn. Aimeriez-vous que nous sortions ensemble vendredi soir ? Je suis libre.

Mervyn ne répondit rien.

— Nous pourrions regarder les gens, les passants. Ce qu'il vous plaira, Mervyn.

— C'est l'idée de votre père ?

— Quelle différence est-ce que ça fait ? Vous vouliez sortir avec moi ? Eh bien ! vendredi, je suis libre.

— Je regrette. Je ne peux pas accepter.

— Je ne vous plais plus maintenant ?

— Là n'est pas la question. Vous me plaisez, et pas seulement physiquement. Mais si nous devons sortir ensemble, il faudra que ce soit parce que vous le désirez.

— Mervyn, si vous ne m'invitez pas à sortir vendredi, il ne me laissera pas aller à une danse avec Solly samedi soir. S'il vous plaît, Mervyn.

— Désolé, mais je dois dire non.

Mervyn rapporta la conversation à ma mère qui l'approuva sans hésiter. Mais quelques jours plus tard, elle s'inquiéta terriblement à son sujet. Il ne faisait plus la grasse matinée. Au contraire, il était le premier levé et, près de la fenêtre, attendait le facteur. Quand le facteur était passé, Mervyn ne se mettait pas au travail. Il errait paresseusement dans la maison ou allait faire une promenade. Il finissait habituellement par échouer chez Tansky où il retrouvait mon père.

— Tu sais, lui dit Sugarman, bien des choses me sont arrivées depuis le temps que je vis. Ça ferait tout un livre.

Les habitués cherchaient à savoir l'opinion de leur nouvelle connaissance sur Sholem Asch, le péril rouge et les enfants ingrats. Ils le taquinèrent à propos de mon père. « À l'entendre, tu es un génie absolument garanti. »

Mervyn souffla sur ses ongles, les frotta contre le revers de son veston, cligna un œil en disant : « Ah bien ! qui sait ? »

Le père de Molly évaluait un génie à sa façon : « J'ai lu dans la *Gazette,* ce matin, que Hemingway a reçu cent mille dollars pour permettre qu'on tire un film d'une de ses nouvelles. Un livre au complet doit valoir au moins cinq courtes nouvelles. Qu'est-ce que tu en penses ? »

Marvyn ne répondit pas. Il toussa, s'éclaircit la gorge et partit sur-le-champ. Le col de sa chemise, trop empesé, s'enfonçait dans la chair rougie de son cou glabre. Après que je l'eus rejoint, il me dit : « Ce n'est pas étonnant que tant d'artistes se soient suicidés. Personne ne nous comprend. Nous ne sommes pas dans la course à l'argent. »

À sept heures trente, le vendredi soir, ma mère alla à la porte répondre au coup de sonnette de Molly.

— Qu'est-ce que je peux faire pour vous?

— Je suis venue voir M. Kaplansky. Je crois qu'il a loué une chambre ici?

— Vaut mieux louer une chambre que de vendre quatorze onces à la livre.

— Si vous faites allusion au commerce de mon père, je suis désolée mais il ne peut faire crédit à tout le monde.

— Nous payons comptant partout; touchons du bois.

— J'en suis certaine. Maintenant, puis-je voir monsieur Kaplansky, si vous n'y voyez pas d'inconvénients?

— Il est encore à table. Mais je vais m'enquérir.

Sans attendre, Molly fila devant ma mère jusqu'à la cuisine. Elle avait les yeux un peu bouffis, comme si elle avait pleuré, me sembla-t-il. «Allô», dit-elle. Elle avait relevé ses souples cheveux dont le noir contrastait avec le rouge accentué des lèvres.

— Assoyez-vous, lui dit mon père. Mettez-vous à l'aise.

— Êtes-vous prêt, Mervyn?

Mervyn jouait nerveusement avec sa fourchette: «J'ai du travail à faire ce soir.»

— Je vais préparer le café, annonça ma mère.

Avec un sourire un peu forcé, Molly enleva son manteau, prit une grande respiration et s'assit sur le bord de la chaise. À cause de sa jupe ou était-ce parce que le fait de s'asseoir dans cette maison lui était pénible?

— À propos du roman, dit-elle en souriant à Mervyn, mes félicitations.

— Mais il n'a pas encore été accepté par un éditeur.

— C'est un bon roman, n'est-ce pas?

— Mais oui, c'est un bon roman, dit ma mère.

— Alors, pourquoi vous en faire? Venez, dit-elle en se levant. Dépêchons-nous si nous voulons sortir.

Nous sommes tous allés à la fenêtre pour les voir s'éloigner ensemble.

— Regardez-la s'agripper à son bras. C'est pas dégoûtant?

— T'as perdu par knock-out. Hors de combat par défaut!

— Je te remercie, dit ma mère et, dignement, elle sortit de la pièce.

Mon père se souffla sur les doigts et fit un «ouf» de soulagement.

— Je te gage, fiston, qu'elle les aiguise sur une meule tous les matins pour les garder aussi pointus et, comme il est petit, il n'aurait même pas à se pencher pour...

Mon père s'assit, alluma sa pipe, ouvrit le magazine à la page où se trouvait la nouvelle écrite par notre locataire.

— Tu sais, notre Mervyn, est-ce qu'il est aussi extraordinaire que ça? C'est peut-être pas aussi difficile que ça paraît, écrire une histoire.

— Creuser des fossés est plus facile, répondis-je.

Mon père m'amena chez Tansky prendre un Coke.

Tout en tambourinant sur le comptoir, il répondait aux questions qu'on lui posait sur le jeune écrivain avec une assurance que je ne lui avais jamais vue, qui touchait même à la condescendance.

— Vous savez que ça dépend d'une chose qui s'appelle les Muses. Il y a des jours où les Muses le font bien travailler. D'autres jours... ça peut être variable. Mais il dit qu'Hollywood est un milieu très corrompu.

Mervyn rentra un peu après minuit.

— Je vais vous donner un petit conseil, lui dit ma mère. Cette fille appartient à un milieu très commun. Vous pouvez trouver mieux, vous savez.

Mon père se fit craquer les jointures, évita de regarder Mervyn, pendant que ma mère poursuivait :

— Il faut que vous pensiez à votre carrière et à l'avenir. Vous devez choisir une compagne dont vous n'auriez pas un peu honte dans certains milieux.

— Ou, mieux encore, rester célibataire, ne put s'empêcher d'ajouter mon pater.

— Il ne peut rien arriver de pire à quelqu'un que d'épouser une personne qui ne partage pas ses intérêts.

— Tu as le temps, fais un peu le tour du jardin, conseilla mon père en tirant sur sa pipe.

Ma mère le regarda et se mit à rire. La voix de son mari devint un murmure.

— Tu te maries jeune et tu passes le reste de ta vie à le regretter.

Ma mère se mit à rire de nouveau. Elle en avait les larmes aux yeux. Mais elle arrêta net quand Mervyn affirma qu'il n'était pas le genre d'homme à accepter sans protestation qu'on s'attaque à la réputation de Mlle Rosen. Comme ma mère, mon père le regarda. Tous les deux semblaient découvrir la présence de Mervyn qui, lui-même étonné, recula, mais ajouta néanmoins :

— Je suis sérieux en disant cela.

— À qui pensez-vous que vous parlez ? demanda ma mère tout en jetant à mon père un regard coupant.

— Hé ! là... dit celui-ci.

— J'espère que le succès ne vous gonfle pas la tête.

— Le succès ne me fera pas changer. Je suis stable. Mais je dois dire qu'en ce moment vous vous mêlez de ma vie privée. Bonsoir.

Mon père parut à la fois consterné et un peu content que quelqu'un ait tenu tête à ma mère.

— Et qu'est-ce qui te prend ? lui demanda ma mère.

— Moi ? Rien.

— Si seulement tu pouvais te voir. À ton âge, fumer la pipe.

— D'après *Sélection,* c'est moins dangereux que la cigarette.

— Tu n'as aucune idée de la psychologie. Mervyn ne pourrait jamais se montrer impoli avec moi. C'est seulement son tempérament artistique qui se manifeste.

Mon père attendit que ma mère se fût mise au lit avant de se glisser dans la chambre de Mervyn. Après un « salut ! » d'introduction, il s'installa sur le bord du lit.

— Tu peux toujours me dire que cela ne me concerne pas ... heu, as-tu reçu des mauvaises nouvelles de New York ? De l'éditeur ?

— J'attends toujours des nouvelles de New York.

— Bon, je vois. Désolé... Bonsoir.

Il se leva brusquement, mais à la porte, il s'arrêta un moment : « J'ai mis le paquet à ton sujet. J'espère que tu ne vas pas me désappointer. »

Le père de Molly téléphona le lendemain matin.

— Tu as passé une bonne soirée, Mervyn ?

— Oui, ah oui ! bien sûr.

— Ah je suis content ! Ma fille, tu sais, tu lui as tourné la tête. Elle ne porte plus à terre, comme on dit.

Molly, à ce qu'il paraît, avait raconté aux autres jeunes filles du bureau, chez *Susy's Smart Wear,* qu'elle partirait bientôt pour aller vivre « sous un climat tropical ». Gitel Shalinsky la vit s'enquérir des prix des costumes de plage avenue du Parc — nous étions en novembre — et la rumeur voulait que Mervyn ait accepté une offre d'Hollywood pour l'adaptation de son livre, destiné à un grand succès. Une couple de jours plus tard, Mervyn reçut un colis où se trouvait incluse une formule imprimée : l'éditeur ne croyait pas pouvoir utiliser le manuscrit soumis.

— T'as pas de chance, lui dit mon père.

— Je ne m'en fais pas. Quelques-uns des meilleurs écrivains se sont vu refuser leurs romans six ou sept fois avant qu'un éditeur ne se décide à les publier. D'ailleurs, je ne me suis pas adressé à la maison qu'il fallait. Elle est dirigée par des homosexuels qui ne publient que la prose des jolis garçons. J'envoie mon manuscrit à un autre éditeur dès aujourd'hui, conclut Mervyn en riant et en se donnant une claque sur les genoux.

Ce jour-là, ma mère prépara les mets qu'il préférait et lui dit : « Vous avez beaucoup de talent et vous finirez par réussir. » Un peu plus tard, Molly vint le chercher. Mervyn entra très tard cette fois, mais ma mère, malgré tout, veilla pour l'attendre.

— Les Rosen m'ont invité à venir dîner samedi soir. C'est gentil, n'est-ce pas ?

— Mais j'ai commandé quelque chose de spécial pour nous chez le boucher.

— Je suis désolé. Je ne savais pas.

— Maintenant, vous le savez. Faites comme il vous plaira, Mervyn… Non, non, ça va bien. Ma mère parla brusquement d'autre chose : « J'ai changé vos draps. Mais vous auriez pu me le dire, vous savez. »

Mervyn joignit les mains pour les stabiliser.

— Vous dire quoi, bon Dieu de bon Dieu! Il n'y a rien à dire.

— Entendu, *boyele.* Des accidents, ça arrive.

Une fois de plus, mon père se glissa dans la chambre de Mervyn.

— Pour samedi soir, ne t'inquiète pas. Ne te compromets pas, laisse les choses dans le vague. Et ne couche rien sur le papier. Tu pourrais le regretter toute ta vie.

— Il se trouve que je trouve Molly remarquable...

— Moi aussi. Je ne suis pas aussi vieux que tu crois.

— Non, non et non. Vous ne comprenez pas.

Mon père produisit quelques-unes des coupures qu'il avait gardées à son intention. Un reportage racontait comment deux frères s'étaient retrouvés après vingt-cinq ans; un autre était le compte rendu d'une journée pittoresque à la cour. Il passa également à Mervyn une annonce du concours *Beason* annuel du Y.H.M.A. portant sur la meilleure nouvelle.

— Et j'ai une idée à te proposer. Dans les films... Quand par exemple Humphrey Bogart allume une Chesterfield ou demande un Coke, t'imagine pas qu'il reçoit pas un joli petit quelque chose en retour. Bon. Ton problème à toi, c'est de ne pas avoir d'argent. Alors pourquoi que tu ferais pas le même genre d'arrangements par le livre? Si ton héros doit prendre l'avion, pourquoi la ligne aérienne ne pourrait-elle pas être identifiée? Pourquoi qu'il ne voyagerait pas sur la ligne TWA parce que c'est la plus sûre, la plus efficace et que peut-être il s'y trouvera en charmante compagnie? Ou si ton héros est un alcoolique, il pourrait pas exiger du Seagram parce que c'est le meilleur whisky? Tu vois un peu? Je pourrais écrire à, mettons, *TWA, Pepsi, Seagram* et *Adam's Hats* et leur demander ce qu'une réclame dans un livre peut valoir pour eux... Eh bien ! qu'est-ce que t'en penses ?

— Je ne pourrais jamais consentir à une telle chose pour un livre que j'aurais écrit. Cela porterait atteinte à mon intégrité. Les gens feraient des commentaires défavorables.

Les gens, de toute façon, avaient commencé à jaser. Le jeune frère de Molly raconta que Mervyn avait fait sensation au dîner, que son père avait dit à Mervyn qu'il approuvait l'idée moderne du jeune couple ne vivant pas avec les beaux-parents — pas à longueur d'année — que le climat de Montréal ne valait rien pour sa femme et que si jamais il avait un beau-fils vivant, disons en Californie... eh bien ! ce serait agréable d'aller le visiter, et que Mervyn avait convenu que la famille doit être liée.

Les qu'en-dira-t-on n'étaient pas tous favorables. Les garçons du voisinage étaient hostiles. Un étranger, un Torontois, menaçait de leur enlever leur Molly.

— Regardez-les tous les deux, disaient-ils en voyant passer devant l'académie de billard Molly et Mervyn, main dans la main. La belle et la bête.

— Depuis le temps qu'on cherche l'anneau manquant de Darwin, le voilà qui passe.

Mervyn était ouvertement harcelé dans la rue.

— Hé ! le grand écrivain. Combien de phrases dans une bouteille d'encre ?

— Viens donc ici, Shakespeare. Comment se fait-il que tu aies l'air de ce que tu as l'air ? Ou bien as-tu eu un accident ?, Combien as-tu reçu pour les dommages subis ?

Mervyn m'assura que ces quolibets ne le gênaient pas. « La masse a toujours été hostile aux artistes, dit-il. Elle a conduit plus d'un d'entre nous à se détruire lui-même. Mais je peux discerner les motifs d'hostilité de la masse. »

Son manuscrit lui fut de nouveau retourné.

— Peu importe. Il y a de meilleurs éditeurs.

— Mais ces deux-là qui t'ont refusé... ne sont-ils pas des experts ? demanda mon père. Je veux dire que...

— Jetez un coup d'œil, voulez-vous ? Cette fois, j'ai reçu une réponse personnelle. Vous savez de qui ? D'une des plus grandes maisons d'édition de toute l'Amérique.

— Peut-être bien, dit mon père avec une trace de malaise, mais on te renvoie ton livre.

— Il admire mon énergie et mon enthousiasme. Tenez, voyez vous-même.

Une fois de plus, Mervyn posta son manuscrit, mais cette fois, il abandonna sa vigie à la fenêtre. Il n'était plus le même, au surplus. Je ne veux pas dire par là que son visage bourgeonnait plus que jamais — bien que ce fût vrai, à cause des féculents dont il avait recommencé à abuser — mais il semblait soudainement se désintéresser du sort de son roman. « J'ai accouché, dit-il, j'ai lancé mon enfant dans le monde, et, maintenant, son avenir ne dépend plus de moi. » Il y avait aussi le fait qu'il était de nouveau « enceint » comme il disait (et il le paraît, me dit un des habitués de *Tansky's*), c'est-à-dire qu'il avait commencé un nouveau roman. Ma mère considéra que c'était là un bon signe ; elle fit ce qu'elle put pour encourager son protégé. Bien qu'elle continuât de changer ses draps presque à tous les deux jours, elle ne se plaignit pas une seule fois. Elle prétendit même que c'était de tradition chez nous. Mais Mervyn semblait en état d'irritation permanente et il évitait le genre de discussion littéraire qui avait apporté tellement de joie à ma mère. Tous les soirs, maintenant, il sortait avec Molly. Certaines nuits, il ne revenait pas avant quatre ou cinq heures du matin. Et tous les soirs, maintenant, c'était mon père, chose curieuse, qui attendait son retour ou se levait pour venir le rejoindre dans la cuisine. Il faisait du café et sortait cette liqueur d'abricot dont il était tellement fier. Plus d'une fois ai-je été réveillé par son rire. Il racontait des anecdotes sur la maison de son père, sur son enfance et les temps de la dépression. Sur la maladie de sa belle-mère, qui la cloua au lit pendant les sept dernières années de sa vie, sur le dévouement dont avait fait preuve sa femme — et ici sa voix trahissait une fierté qui aurait sans doute étonné et même, peut-être, flatté ma mère — en y joignant une compétence supérieure à celle d'infirmières possédant des tas de diplômes. « Ce qu'elle est maintenant et ce qu'elle était, c'est comme la nuit par rapport au jour. Avant que la vieille n'ait son attaque, elle n'avait rien d'une grincheuse. Que voulez-vous ! C'est la vie. » Il raconta à Mervyn sa première rencontre avec sa future, parla des lettres qu'elle lui écrivait, où elle incluait des poèmes de Shelley, Keats et Byron alors qu'il n'habitait que deux rues plus loin et qu'elle n'aurait eu qu'à décrocher le téléphone pour lui parler.

Une autre fois, je l'entendis dire : « Tu sais, quand j'étais jeune homme, il y avait des jours d'affilée où je ne me couchais pas, tellement j'étais surexcité. Je préférais aller me balader dans les rues plutôt que de risquer de manquer quoi que ce soit en me mettant au lit. J'étais un peu fou, tu trouves pas ? »

Mervyn marmonna une réponse quelconque. Il était généralement un peu las et absorbé par ses propres pensées, mais mon père était intarissable. À l'écouter ainsi parler affectueusement à notre locataire et rire aussi spontanément, je commençai à me sentir un peu jaloux. Jamais il ne s'était entretenu avec nous de cette façon, ni avec ma sœur ni avec moi-même. Mais je fus si étonné de découvrir ce côté inattendu de mon père que j'en oubliai de rester jaloux.

Une nuit, j'entendis Mervyn qui lui disait:

— Il se peut que ce roman que j'ai envoyé ne vaille rien. Peut-être répondait-il seulement à un besoin de me débarrasser de certaines idées que j'avais.

— Ne vaille rien? T'es fou! J'ai dit à tout le monde que tu étais un grand écrivain.

— C'est la liqueur d'abricot qui me fait parler ainsi, dit Mervyn d'un air dégagé. Je faisais une blague.

Mervyn devait néanmoins envisager certains problèmes. D'après le jeune frère de Molly, M. Rosen se sentait prêt à cesser de travailler. «Ce n'est pas que je veuille être un fardeau pour qui que ce soit», avait-il ajouté. Molly avait commencé à acheter tous les magazines de cinéma en vente chez Tansky en expliquant à Gitel qu'elle ne voulait pas se mettre le pied dans le plat et embarrasser Merv quand elle se trouverait face à face avec les grandes vedettes.

Mervyn se mit à manger du bout des dents aux repas. Il lui arrivait de temps à autre de se lever de table brusquement et, la main sur la bouche, de se précipiter à la salle de bains. Je découvris que ma mère lui avait acheté un sous-drap en caoutchouc. Il ne s'arrêtait plus chez Tansky pour bavarder. Il passait tout droit, la tête baissée, le pas rapide. Segal l'interpella un jour:

«Qu'est-ce qu'il y a? Tu nous traites de haut maintenant?»

Les habitués de *Tansky's* se mirent à cuisiner mon père.

— Ton génie de locataire est devenu tellement important tout d'un coup qu'il n'a plus le temps de venir nous dire bonjour ?

— Regardons les choses en face, répondit mon père. Qu'est-ce que nous valons, moi compris? Mais mon ami Mervyn...

— Ne me le dis pas; je sais qu'il est rempli d'idées. Des idées réchauffées.

Mon père cessa complètement d'aller chez *Tansky's*. Le soir il se mit à jouer au jeu de patience.

— Qu'est-ce que tu fabriques ici, à la maison?

— Je ne peux pas rester un soir chez moi? Après tout, c'est ma maison autant que c'est la tienne, tu sais.

— Dis-moi la vérité, Sam.

— Ah! c'est toute cette bande-là. Si tu penses que ces insignifiants peuvent comprendre combien la vie est difficile pour un artiste. Il hésita, regarda ma mère attentivement et poursuivit: «À leurs yeux, Mervyn ne doit pas être un vrai écrivain puisqu'il n'a pas encore réussi.»

— Tu sais, dit ma mère, qu'il nous doit sept semaines pour sa chambre et pension?

— Le premier jour, quand Mervyn est arrivé, dit mon père en clignant des yeux comme s'il était en train d'allumer sa pipe, il a dit qu'il existait une sorte de courant entre nous. Alors, je ne vais pas le laisser tomber pour quelques dollars, tu comprends.

Il y avait quelque chose qui tracassait Mervyn. Car ce soir-là et le suivant, il ne sortit pas avec Molly. Il alla à la fenêtre, la vit passer, se retira dans sa chambre et s'attaqua à des mots croisés.

— Veux-tu jouer au casino ? lui demandai-je.

— J'aime cette jeune fille. Je ne pense qu'à elle.

— Mais je croyais que tout allait sur des roulettes, que tu avais d'elle... tout ce que tu voulais.

— Non, non, non ! Je veux l'épouser. J'ai dit à Molly que je me trouverais un emploi, que je m'établirais si elle voulait bien m'accepter.

— Tu es fou ! Un emploi ? Avec ton talent ?

— Elle m'a dit la même chose.

— Ah ! jouons au casino. Ça va te changer les idées.

— Elle ne me comprend pas. Personne, d'ailleurs, ne me comprend. Pour moi, prendre un emploi n'a pas le même sens que pour un type ordinaire. C'est une occasion pour moi d'étudier mes réactions. J'aimerais savoir, par exemple, ce qu'un manutentionnaire pense et ressent.

— Tu veux dire que tu serais prêt à faire le travail d'un ouvrier ?

— Mais ce ne serait pas comme si j'étais vraiment un ouvrier. Je ne le serais qu'en apparence. En réalité, j'étudierais mes camarades tout le temps que je travaillerais avec eux. N'oublie pas que je suis un artiste.

— Arrête de t'en faire, Mervyn. Demain, tu verras, tu recevras une lettre te demandant comme une faveur de publier ton livre.

Le lendemain, toutefois, il ne reçut pas de courrier. Une semaine passa. Dix jours.

— C'est bon signe, dit Mervyn. Cela signifie qu'ils étudient très soigneusement les possibilités de mon roman.

De fil en aiguille, nous en arrivâmes tous à attendre la tournée du facteur. Mervyn était conscient du fait que mon père n'allait plus chez *Tansky's* et que ma mère devait faire face aux taquineries de ses amies. Sauf quand il multipliait les appels au téléphone, il ne sortait guère de sa chambre. Appels inutiles, au surplus. Molly refusait de lui parler.

Un soir, mon père revint de son travail l'air courroucé.

— Cet enfant de chienne de Rosen, c'est une punaise. Tu sais ce qu'il raconte, Mervyn? Qu'il n'accepterait pas dans sa famille un menteur et un malhonnête. Il dit que tu n'es pas un écrivain, que tes écrits sont juste bons pour la poubelle. Alors je lui ai dit qu'il avait menti. Là-dessus, il me répond que tu allais travailler au service de l'expédition quelque part. Je t'assure que je lui ai tombé dessus.

— Qu'est-ce que tu lui as dit? voulut savoir ma mère.

— Je lui ai dit ce que j'avais à lui dire, ne crains rien. Quand je me fâche, tu sais...

— Ce ne serait peut-être pas une si mauvaise idée que Mervyn se trouve un emploi. Plutôt que de s'endetter, il pourrait...

— Vous n'auriez pas dû vous vanter tellement à mon sujet auprès de vos amies, dit Mervyn à ma mère. Je n'en demandais pas tant.

— Alors, je suis une vantarde, moi? Vous allez retirer ce que vous venez de dire, et je crois que vous me devez des excuses. Après tout, c'est vous qui avez dit que vous étiez un grand écrivain.

— Mon talent n'est pas en cause. J'ai des tas de lettres de gens importants qui...

— J'attends vos excuses, Mervyn.

— Soyons justes, dit mon père. J'ai vu certaines de ces lettres. Il n'y a donc aucun doute là-dessus. Ce qui ne veut pas dire que, du point de vue de l'étiquette, Emily Post approuverait Mervyn de dire que tu es...

— La première impression que mon mari a eue à votre sujet était la bonne, Mervyn. Il a dit que vous étiez un pique-assiette.

— Ne craignez rien, rétorqua Mervyn en se tournant vers mon père. Vous serez remboursé de toute manière. Bonsoir.

Je ne saurais le jurer, j'ai peut-être imaginé cela. Mais quand je me levai pour aller aux toilettes cette nuit-là, j'ai cru entendre Mervyn sangloter. Quoi qu'il en soit, le facteur sonna à la porte le lendemain et Mervyn revint avec un colis et une lettre.

— Pas encore! dit mon père.

— Non. Il se trouve que je reçois une lettre d'un des éditeurs les plus importants d'Amérique. On va me verser deux mille cinq cents dollars à la place de droits d'auteur pour mon manuscrit.

— Hé! Laisse voir.

— Vous ne me croyez pas?

— Mais naturellement qu'on vous croit, répondit ma mère en le serrant dans ses bras. Je n'ai pas douté un seul instant que vous aviez beaucoup de talent.

— Il faut fêter ça, déclara mon père, et il alla chercher la liqueur d'abricot.

Ma mère alla téléphoner à Mme Fisher.

— Oh! Ida, je t'appelle juste pour te dire qu'en fin de compte je pourrai faire un peu de cuisson pour la vente de charité... Non, rien de neuf. Oh! j'allais oublier. Tu te souviens, tu as dit que Mervyn n'était qu'un avorton? Eh bien ! il vient de recevoir une offre extraordinaire d'un éditeur de New York... Non, j'ai seulement la permission de te dire que c'est une offre à quatre chiffres. C'est émotionnant, n'est-ce pas? Je ne suis même pas sûre qu'il va accepter.

Mon père « sauta » sur l'appareil pour appeler Tansky, mais ma mère crut bon d'intervenir :

— Une minute ! Attends, mon mari. Est-ce qu'on ne pourrait pas se montrer un peu discret, organiser une petite fête privée entre nous ?

Mon père n'en téléphona pas moins chez le marchand : « Allô ! Sugarman ? Vous êtes tous invités ici pour prendre un coup. On fête... Mais non, t'es fou. À l'âge qu'elle a, voyons ! C'est au sujet de Mervyn. Il examine une offre de cinq mille dollars qu'on lui a faite juste pour signer le contrat. »

Le téléphone sonna après que mon père eut raccroché et c'est ma mère qui répondit :

— Oh ! bonjour, madame Rosen. Oh ! merci bien, je lui ferai le message... Non, non, pourquoi est-ce que je vous en voudrais ? Nous sommes voisins depuis des années... Non, mais pas du tout. Ce n'est pas moi que vous avez appelée avaricieuse. Votre Molly ne m'a pas ri au nez.

Sans qu'on l'ait remarqué, Mervyn s'était assis sur le divan et s'était pris la tête dans les mains. Au moment où il entendit la sonnerie, il décida d'aller se reposer un moment et s'en excusa. Quand il sortit de sa chambre, plusieurs des habitués de *Tansky's* étaient arrivés. « Si j'avais eu mon dire, déclara mon père, il n'y aurait pas un seul de vous autres qui serait ici. Mais Mervyn n'est pas le genre à garder rancune. »

Le père de Molly joua des coudes à travers le groupe qui entourait Mervyn et lui fit son boniment :

— Je tiens à te dire que je suis fier de toi aujourd'hui. Il n'y aurait personne d'autre que j'aimerais à avoir comme gendre.

— Vous bousculez les événements un peu, vous ne trouvez pas, monsieur Rosen ?

— Quoi ? Est-ce que tu ne lui as pas fait ta demande cent fois parce qu'elle disait non ? Et maintenant que je suis là pour te signaler le feu vert tu commences à trembler dans ta culotte ? Je te dirai que j'aime pas ça. Pas une miette.

Tous se mirent à dévisager le héros de la fête. Quelques bons rires fusèrent tout naturellement.

— La façon dont tu tournais tes lettres, elles me font encore rougir à mon âge.

— Mais elles m'ont été renvoyées sans avoir été ouvertes.

Mervyn devint pâle comme un drap pendant que le père de Molly haussait les épaules et rectifiait son tir :

— Écoute, mon garçon. Je peux te dire que j'ai pas à me mettre à tes genoux au sujet de Molly.

— La voilà justement, dit un des invités pendant que tous les autres se rapprochaient également et qu'un effluve concentré de *Lily of the Valley* inondait la pièce.

Sous le tricot se dessinaient nettement les contours de son soutien-gorge (tricot et soutien-gorge étaient *Midnight Black*, spécialité de *Susy's Smart Wear)*. Une énorme épingle en or plaqué reliait les pans de sa jupe écossaise. Elle salua tendrement Mervyn, se précipita vers lui, l'embrassa et lui dit qu'elle venait d'apprendre la nouvelle de sa mère. Puis elle se tourna vers la compagnie, un sourire radieux aux lèvres.

— Monsieur Kaplansky m'a demandée en mariage. Nous sommes fiancés.

— Félicitations ! Meilleurs vœux à tous les deux.

Rosen donna une claque dans le dos du « futur » pendant que se faisaient entendre les bravos d'approbation.

— Quand il s'agit de choisir un mobilier de chambre à coucher, on peut pas faire d'erreur en l'achetant chez mon gendre.

— J'espère, dit Takifman d'un ton sévère, que votre maison sera casher.

— Quelques-uns des plus grands escrocs de la ville mangent toujours casher et ça ne me fait rien de te le dire en pleine face, Takifman.

— Il a raison, tu sais. Et, de nos jours, ce qui importe le plus pour de jeunes couples, c'est qu'ils puissent bien s'entendre sur le plan sexuel.

Entouré comme il l'était, Mervyn dut se hausser un peu, pour chercher des yeux Molly, qui se trouvait à l'autre extrémité de la pièce. Une banane à la main, elle lui sourit et lui fit un clin d'œil.

— Est-ce qu'ils ne font pas un joli couple ?

— On disait la même chose de nous il y a vingt ans. Est-ce que ça répond à ta question ?

Mervyn buvait beaucoup. Il avait quelque peu l'air malade.

— Hé ! dit mon père en brandissant un verre trop plein, dis-moi, Segal, qu'est-ce qui est dur et raide et devient mou et humide ?

— Oh ! papa ! C'est la gomme à mâcher... Christ ! Elle est aussi vieille que les montagnes, celle-là.

— Attention, mon garçon. Ou tu vas en recevoir une !

— Vous savez, constata Miller tout à coup, je mangerais bien un morceau.

Bouche cousue, ma mère circulait, ramassant les verres aussitôt qu'ils étaient déposés.

— Écoutez, les amis, annonça Rosen d'une voix ronflante, allons chez moi. On va s'envoyer quelques schnapps et on aura vraiment de quoi se mettre sous la dent.

Notre salle de séjour se vida plus vite qu'elle ne s'était remplie. Intrigué, mon père me demanda où ma mère se trouvait. Je lui dis qu'elle était dans la cuisine, où nous sommes allés la retrouver.

— Viens, fit mon père, allons chez les Rosen.

— Et qui, je te le demande, va nettoyer la saleté que toi et tes amis m'avez laissée ?

— La saleté peut attendre. Elle va pas s'envoler.

— Tu n'as pas de fierté.

— Oh ! s'il te plaît ! Ne commence pas. Pas aujourd'hui.

— Ivrogne !

— Comme Ray Milland dans *The Lost Week-End*. Tiens, qu'est-ce que je vois sur le mur ? Une chauve-souris ?

— Ce pauvre garçon sans défense, on le fait basculer dans un mariage où il n'a pas envie d'entrer et, toi, tu restes là sans rien dire.

— Est-ce que tu pourrais pas t'amuser un peu pour une fois ?

— Tu ne t'es pas rendu compte jusqu'à quel point il a peur de ce qui lui arrive ? J'ai cru qu'il allait perdre connaissance.

— Qui s'est jamais marié sans recevoir une p'tite poussée ? Tiens, je me souviens quand j'étais jeune homme...

— Va, Sam. Fais-moi le plaisir d'aller chez Rosen.

Mon père me demanda de sortir de la pièce avant de répondre.

— J'peux... j'peux pas dire que je me sens toujours heureux avec toi. Pas tous les jours que Jéhovah amène, je te le dis franchement.

— Quand j'aurais eu besoin de toi pour soutenir ma cause devant mes frères et sœurs, tu es resté muet. Aujourd'hui, le courage de parler te vient à travers les bouteilles. Sam, fais-moi le plaisir d'aller chez Rosen.

— J'allais pas y aller et te laisser seule, j'allais rester. Mais si c'est comme ça que tu le prends...

Mon père vint au salon chercher son veston.

— Où vas-tu ? me demanda-t-il comme je m'apprêtais à le suivre.

— Mais je vais fêter, moi aussi.

— Toi, tu restes ici. N'as-tu aucune considération pour ta mère ?

— Ah ! merde. Je...

— Tu entends !

Mais mon père fit une pause à la porte. Les pouces ancrés sous les bretelles, se balançant dans un mouvement avant-arrière sur ses talons, il éleva la tête en faisant saillir son menton au-delà des limites du vraisemblable.

— J'ai pas toujours été ton père, tu sais. Moi aussi, j'ai été jeune autrefois.

— Et alors ?

Mon père fit une ou deux blagues et partit. Je me réveillai à trois heures du matin : une chaise venait d'être renversée. Quelqu'un tomba ; j'entendis des sanglots.

Étourdi, malheureux, effaré, Mervyn était assis par terre, un verre à la main, verre qu'il leva dans ma direction.

— Mon ennemi en bouteille, dit-il en ricanant.

— Quand est-ce que tu te maries ?

Il se mit à rire et moi aussi.

— Je ne vais pas me marier.

— Quoi ?

— ... pas me marier.

— Mais je croyais que tu aimais Molly par-dessus la tête ?

— Oui. Mais plus maintenant. Il se leva, tituba jusqu'à la fenêtre. As-tu déjà senti, en regardant les étoiles, combien nous étions petits et sans importance ?

— Non, je n'y ai jamais pensé.

— Rien n'a d'importance. Par rapport à l'éternité, nos vies durent moins qu'une bouffée de cigarette. Ah ah ! Il sortit son stylo-lampe, écrivit dans son calepin et se tourna vers moi.

— Tout ce qui arrive à un écrivain, c'est de l'eau à son moulin. Rien ne doit l'humilier.

— Oui, mais... Et Molly dans tout ça ?

— C'est un insecte, je te l'avais dit la première fois. Tout ce qui l'intéressait en moi, c'était le panache éventuel... Si tu dois noircir du papier plus tard, souviens-toi de ceci. Le monde te couvre de ridicule tant que tu te débats. Mais la réussite change tout : les belles filles viennent manger dans ta main.

Il se remit à pleurer.

— Veux-tu que je reste un peu avec toi ?

— Non, va te coucher. Laisse-moi seul.

Le lendemain matin, à table, mes parents n'étaient pas bavards. Ma mère avait les yeux rouges et enflés et mon père était d'humeur sombre. Un télégramme arriva au nom de Mervyn.

— C'est de New York. Il faut que j'y aille dès aujourd'hui. La raison, c'est qu'Hollywood veut acheter mon roman.

— Pas possible !

Mervyn tendit brusquement le télégramme à mon père.

— Tenez, lisez vous-même.

— Ne te fâche pas. Tout ce que j'ai dit c'est... Mon père, néanmoins, lut le télégramme. Ça parle au diable ! Hollywood !

Nous avons aidé Mervyn à faire ses bagages.

— Je préviens Molly? demanda mon père.

— Non. Je ne serai absent que quelques jours. Je veux lui en faire la surprise.

Nous nous sommes massés dans la fenêtre pour lui dire au revoir de la main. Juste avant d'entrer dans le taxi, Mervyn nous regarda fixement pendant un long moment, mais il ne nous envoya pas la main et, naturellement, nous ne l'avons jamais revu. Quelques jours plus tard arriva la facture du fameux télégramme... expédié de notre adresse. « Je ne suis pas surprise », déclara ma mère.

Elle tint les Rosen responsables de la fuite de Mervyn alors que les Rosen expliquèrent la disgrâce de leur fille en nous blâmant. Mon père mit de nouveau ses pipes aux oubliettes et, comme il fallait s'y attendre, se fit harceler de la belle façon chez Tansky.

Après environ un mois, le courrier nous apporta irrégulièrement des billets de cinq dollars jusqu'à ce que Mervyn se fût acquitté de sa dette. Mais il ne répondit pas une seule fois aux lettres de mon père.

10

BLUMBERG, QUI ENSEIGNAIT en quatrième année, était un sioniste militant.

— Comment nous nous sommes procuré des armes à Eretz ? C'est simple. Nous les achetions des Anglais. Nous simulions un enterrement, remplissions un cercueil de carabines et l'enterrions jusqu'au moment voulu.

Nous réagissions en bâillant ou en levant deux doigts pour signifier notre incrédulité. Ce n'est pas que nous n'étions pas impressionnés par le récit de cet exploit ingénieux. Tout simplement, et parce que ce réfugié de Pologne nous assénait avec un zèle vindicatif des tas de devoirs, nous cherchions et réussissions à le mortifier. Il nous bourrait le crâne avec d'inquiétantes histoires de sévices antisémites ; la vie serait amère pour nous, Juifs ; nous étions destinés à endurer la méchanceté des Gentils. Cela ne m'effrayait aucunement : je n'avais nulle intention de devenir un Juif dans le genre Blumberg, avec un accent ridicule, une passion pour les

« occasions » et la manie, décidément non hygiénique, de se mouiller le pouce avant de tourner une page de l'*Aufbran.* J'étais un Canadien à part entière ; je comprenais les gens qui n'aimaient pas Blumberg, qui, comme moi peut-être, le trouvaient même assez comique. Il avait vécu en Palestine un temps et il méprisait l'armée britannique. Moi, pas. Comment en aurait-il été autrement alors que le film *In Which We Serve* en était à sa nième semaine à l'Orphéum et que de mes cousins et de mes oncles, dans le Sussex, s'entraînaient dans l'armée canadienne en vue de l'invasion ?

Nous étions en période de guerre. « Le Seigneur soit béni, disait mon père, et passe-moi donc les munitions », ce qui était sa façon de redemander des haricots au lard. Mon cousin Jerry portait un insigne de donneur de sang de la Croix rouge. Je m'occupais de récupération. Je faisais, comme on disait gentiment, la « cueillette » des rebuts.

Entre autre choses, la guerre signifiait a) que manger beaucoup de carottes permettait de mieux voir dans l'obscurité à l'instar des combattants nocturnes de la R.A.F., b) que la lettre V symbolisait la victoire, c) que Paul Lukas montait la garde sur le Rhin, d) qu'il fallait éviter de parler des mouvements de troupes, ainsi que le recommandaient les pancartes chez les marchands de tabac et dans les charcuteries, destinées aux *chassids,* aux repasseurs, aux grossistes en tissus et nouveautés, aux tailleurs et aux *malameds.* Les étudiants des universités, mon cousin Jerry entre autres, passaient leurs vacances dans l'Ouest à moissonner le blé. Mes oncles, qui avaient acheté deux chiens pour garder leur dépôt de ferraille, les avaient nommés Adolf et Benito. Arty, Gas, Hershey, Duddy et moi-même renonçâmes à collectionner les cartes relatives au hockey et, à la place, devînmes des experts en identification aéronautique. Aux récréations, nous n'avions rien de plus pressé que de nous lancer des avions imprimés sur bristol. J'appris à distinguer un Stuka d'un Spitfire.

Un des premiers à s'enrôler parmi les nôtres fut tué presque immédiatement. Benjy Trachstein s'était engagé dans la R.C.A.F. La seule fois où il vola avec un instructeur, l'avion-école se désossa en s'écrasant à la périphérie de Montréal, et Benjy fut brûlé à mort. Carbonisé jusqu'aux os. « C'est la fatalité, le destin, dit mon père aux funérailles. Quand ton heure a sonné, elle a sonné. » Madame Trachstein faillit devenir folle et le père de Benjy, qui était épicier, prit une attitude accusatrice envers tous et chacun. « Quand votre fils va-t-il lâcher le marché noir et s'enrôler ? » demanda-t-il à une voisine. À une autre, il posa une question tout aussi brutale : « Ça vous a coûté combien pour faire réformer votre fils par le médecin ? »

Nous avons commencé à éviter de nous approvisionner chez Trachstein, donnant, comme excuse, qu'il ne se lavait plus les mains au point que vous vous sentiez l'estomac barbouillé quand il vous tendait une livre de fromage ou quand vous mangiez un hareng qu'il avait manipulé. On le soupçonnait, en plus, d'être l'auteur anonyme des lettres dénonçant les autres marchands du quartier à la Régie des prix en temps de guerre. Ces lettres étaient cause de désagréments coûteux. Dans chaque cas, un inspecteur venait faire enquête, ce que lui valait un beau vingt dollars ou même, parfois, une caisse de whisky.

Aux garçons exaltés du voisinage qui voulaient s'enrôler, on faisait apparaître le spectre de l'inutile mort de

Benjy. Ce qui ne les empêchait pas de réaliser leurs intentions. Certains d'entre eux pour des raisons politiques, d'autres parce que l'ennui les rendait téméraires.

Un samedi matin, Gordie Roth, un garçon très grand, aux cheveux flous et aux yeux bleus larmoyants vint à la *Young Israel Synagogue* revêtu d'un uniforme d'officier. Son père s'effondra, se mit à sangloter et, d'un pas traînant, quitta le *shul* sans un mot pour son fils. Le geste de Gordie prit figure d'insulte pour ceux qui avaient bénéficié d'une exemption du service militaire en choisissant de rester à McGill. Entre accepter un brevet dans le corps médical quand on est diplômé de la faculté dentaire et balancer des études de droit au bénéfice de l'infanterie, il y avait plus qu'une nuance, il y avait un océan, si on ose dire. Les étudiants se disaient que Gordie n'était pas tellement un héros, qu'il aurait été renvoyé de McGill de toute manière. Garber, un finissant en psychologie, extrapola sur le désir subconscient de l'auto-destruction. Mais Fay Katz se plissa le nez et ne cacha pas son mépris moqueur : « Tu sais pourquoi tu es si maigre ? C'est parce que tu es dégonflé. »

Jusque-là, les mères s'étaient ouvertement félicitées de la santé de leur progéniture et avaient considéré les maladies d'enfants comme une preuve honteuse de faiblesse. Maintenant, elles ne demandaient pas mieux que de découvrir des pieds qui s'aplatissaient, des yeux qui louchaient, un cœur qui murmurait ou encore une jolie petite hernie qui gonflait. Après un mois de campement dans le corps d'entraînement universitaire, mon cousin Jerry revint chez lui clopin-clopant, avec la jaunisse et les pieds en sang. Un sergent nommé McCormick l'avait appelé un *kike* assis sur son derrière, ce qui s'acceptait d'autant plus mal que *kike* avait le même sens péjoratif que *nigger*.

— Pourquoi que nous nous battrions pour eux, les fascistes?

— Le pauvre garçon, tout ce qu'il a dû endurer!

Hershey avait un frère outre-mer et Arty un cousin américain dans les marines. C'est dire que le cousin Jerry m'avait amèrement déçu. Je ne pouvais le regarder en face.

Un soir, mon père nous lut un article de la une du *Star*.

Un pilote de la *Luftwaffe*, descendu au-dessus de Londres, avait reçu une transfusion de sang. «Eh bien! mon vieux, lui avait annoncé le médecin britannique, tu as maintenant de l'excellent sang juif dans les veines.» Avant de tourner la page, mon père se gratta la tête pensivement. Je savais que cela lui plaisait énormément.

Il n'y eut que Tansky qui tenait le *Cigar & Soda* du coin pour mettre en doute l'effort de guerre britannique. Des tas de bateaux étaient coulés dans la bataille de l'Atlantique, c'était exact, mais combien de gens savaient que les commandants des U-boats ne torpillaient jamais un navire assuré par Lloyd's ou que certaines usines allemandes étaient à l'abri des raids aériens à cause de l'implication d'intérêts anglo-allemands?

Si Tansky s'inquiétait de la trahison capitaliste outre-mer, il faut dire, d'autre part, qu'ici même les Canadiens français étaient pour nous une source d'alarme bien plus grande. Le parti de Duplessis avait fait circuler un pamphlet illustré d'un vieux Juif vulgaire, au nez ressemblant à une carotte déformée, qui se retirait dans la nuit avec des sacs d'or. La légende prétendait que Ikey devrait retourner en Palestine. Monsieur Blumberg, notre instituteur en quatrième année, était d'accord : « Il n'y a qu'un endroit qui convienne à un Juif. Mais vous, les garçons, vous avez été gâtés. Vous ne savez pas ce que c'est que d'être un Juif. »

Le principal de notre école paroissiale était un sioniste qui entretenait des goûts littéraires : Ahad Ha'am, Bialik, Buber. Mais je réussis à être promu à F.F.H.S. sans être converti au sionisme. De fait, jamais cela ne se serait produit si ce n'avait été d'Irving.

Irving, qui était dans ma classe au F.F.H.S., m'ignora pendant des mois. Puis, un jour où nous avions reçu nos bulletins, il vint me trouver au vestiaire, me lança, pour rire, un faux coup de poing sur l'épaule et compléta le contact en me félicitant. J'en fus étonné : « Eh bien ! N'es-tu pas arrivé deuxième ? », précisa-t-il.

Irving symbolisait tout ce que j'admirais. Il portait un blouson avec les lettres IRV imprimées en or en travers de son dos d'athlète et il arborait un écusson de hockey cousu sur la partie avant, côté cœur. Il avait participé au *Golden Gloves* pour le compte du Y.M.H.A. et, dans l'équipe de basketball de notre école, il était un des meilleurs marqueurs. Chaque fois qu'Irving se faisait adroitement un chemin sur le court en multipliant les rebondissements du ballon, les filles se mettaient à glapir, à sauter et à crier.

> X^2, Y^2, H^2SO^4
> *Thémistocle, Thermophyles,*
> *la guerre du Péloponnèse,*
> *Un-deux-trois-quatre*
> *Qui a notre faveur ?*
> *Irving, le joueur des joueurs.*

Irving avait un faible pour les pantalons à la hussarde et, toujours, avait des condoms dans son portefeuille.

— Comment aimerais-tu venir à Habonim avec moi ce soir? Si ça te plaît, tu pourrais t'inscrire peut-être.

— D'accord, répondis-je.

La salle de réunion Habonim était située rue Jeanne-Mance, non loin de la maison de mon grand-père. Je me souviens que le vieillard faisait grise mine au *chaverim* qui passait en chantant avec ardeur. Parce que c'était jour de sabbat, mon grand-père se retenait d'appeler la police et de protester contre le chahut que faisait le *chaverim*. C'est qu'il était orthodoxe et intransigeant. Faire de la lumière, déchirer du papier étaient choses défendues les jours de sabbat. Aussi devait-on détacher un nombre de feuilles de papier hygiénique suffisant pour «durer» jusqu'à la fin du *shabbus*, ce dont devait se charger une de mes tantes. Pour sa part, un de mes oncles avait imaginé un dispositif du type Rube Goldberg qui consistait principalement en une ficelle, reliée à un réveil, laquelle fermait la lumière dans les toilettes et dans le couloir quand la sonnerie vibrait à minuit.

Et maintenant, j'aurais à prendre le risque de passer devant chez lui, de chahuter, de lancer des boules de neige, d'agacer les filles, de chanter:

Pa'am achas bochur ya'za, bochur v'bachura...

Une allumette mâchonnée à la bouche, Irving vint me chercher très tôt dans la soirée. En cours de route, nous sommes allés cueillir Hershey et Gas. Mais auparavant, parce que j'étais flatté qu'il soit venu me chercher le premier, et sous couvert de lui dire combien

Hershey et Gas étaient des gars amusants, je lui laissai entendre que j'étais bien préférable à avoir comme ami.

Le trajet à Habonim, le vendredi soir, en compagnie de Irving, Hershey et Gas devint un rituel qui devait se maintenir sans interruption pendant nos quatre ans d'école secondaire.

La guerre avait pris fin. Oncles et cousins rentraient au pays les uns après les autres.

— Là-bas, au front, et en Europe c'était comment?

— Instructif.

Le *Star* raconta qu'à Denver un combattant licencié était devenu fou furieux et avait abattu des passants; le *Reader's Digest* nous mettait en garde contre un trop grand désir de poser des questions à des hommes qui avaient connu l'enfer; rue Saint-Urbain, toutefois, les ex-militaires échangèrent l'uniforme pour des complets neufs et reprirent leur train-train d'autrefois.

HITLER EST-IL RÉELLEMENT MORT? Voilà la question que nous nous posions tous. Et aussi celle qui avait trait à l'abolition des carnets de rationnement. Ceux-ci ne furent pas longs à disparaître: le sucre, le café et l'essence réapparurent sur le marché libre. Le *Better Business Bureau* demanda aux ménagères de ne pas acheter des savons ou des peignes de soi-disant anciens combattants invalides. Un reporter intrépide, vêtu d'un uniforme de S.S., parcourut la rue principale de Calgary dans toute sa longueur sans être arrêté une seule fois. AVONS-NOUS OUBLIÉ POURQUOI NOS SOLDATS SONT MORTS? avait-il voulu savoir. Ted Williams était sain et sauf, de même que Jimmy Stewart. Mackenzie King écrivit: «Il me fait grand plaisir à titre personnel et à titre de premier ministre de rendre hommage aux états de service des Canadiens juifs dans nos forces armées pendant la récente guerre.» Pete Grey, le joueur manchot des *Toronto Maple Leafs*, fut remplacé par un ancien combattant.

Le chef du groupe à l'Habonim avait fait son service dans la R.C.A.F. où son rôle consistait à projeter pour le compte des combattants de retour à leur base les films tournés face à l'ennemi. Chaque fois qu'un pilote déchargeait ses mitrailleuses, une caméra installée dans une aile photographiait l'avion ennemi, ce qui permettait de contrôler le nombre d'appareils descendus ou manqués. Certains films montraient des avions ennemis en flammes. Sur le chemin de retour, la plupart des aviateurs fondaient, par sport, sur les cyclistes allemands. Ces films témoins prenaient fin brusquement, une fois les cyclistes fauchés.

Le père de Hershey, qui avait participé à la guerre en qualité de marchand de ferraille, était d'un physique rondouillard et d'un tempérament aimable. Sa vie sportive avait consisté, un temps, à faire craquer des cacahuètes le dimanche après-midi, en assistant aux matchs de baseball du stade Delorimier où s'affrontaient les équipes étoiles. Par la suite, il organisa des excursions de pêche et de chasse, par avions nolisés, à son chalet situé près d'un lac dans le nord de la province. Et ce, pour le compte des colonels des services du matériel et de leurs secrétaires. Il finit par devenir un des principaux fournisseurs en surplus militaire d'équipement lourd : camions, jeeps, etc. La famille de Hershey déménagea à Outremont.

Duddy Kravitz se sépara de nous, lui aussi. Sous le nom de *Victory Vendors* il acheta quatre distributeurs de cacahuètes salées et les installa aux quatre coins du quartier qu'il jugea les plus fréquentés.

Irving et moi devînmes inséparables, mais son père me terrifiait véritablement. Il aimait me répéter : « Tu sais ce que tu es ? Une erreur commise par ton père. »

C'était un veuf aux cheveux raides grisonnants et aux yeux moqueurs. Cela m'étonnait de constater qu'il ne mangeait pas des aliments casher et qu'il buvait. Il ne buvait pas un petit schnapps avec un gâteau au miel en rejetant la tête en arrière, avec les larmes qui viennent aux yeux immédiatement, ainsi que faisaient mon père et ses amis à la synagogue quand il y avait un *bar-mitzvah* : « Ça se boit sans effort, c'est ce qu'il y a de mieux » — « Et ça réchauffe où ça passe » — « Mais en douceur ». Le père de Irving buvait de la bière Black Horse. Les bouteilles se succédaient à la file. Il s'assoyait à la table de la cuisine, l'air renfrogné, le sourire morose et, soudain, il lançait : « Tire sur mon doigt ! » Si vous faisiez ce qu'il demandait, il laissait échapper un rot effrayant. Il lui arrivait de s'endormir à table, la bouche ouverte, une cigarette fumante entre ses doigts trapus et jaunis. Quelquefois, le samedi soir, il écoutait avec nous le reportage des matchs de hockey à la radio. Il était partisan du *Canadien* : « Rocket ou Durnan sont imbattables dans les moments critiques. Ce sont des faiseurs d'argent, de gros argent... »

Il ridiculisait Habonim : « Alors, les petits *shmedricks*, que pensez-vous pouvoir faire ? Sauver les Juifs ? Les Arabes pourront les refouler à la mer n'importe quand s'ils le veulent. »

Il arrivait qu'on me permette de coucher chez Irving le vendredi soir. Nous veillions tard afin de parler de l'Eretz. Irving disait : « J'ai tellement hâte d'y aller. »

Je ne me souviens guère, maintenant, de nos réunions en groupes du vendredi soir ou des discussions passionnées des réunions générales du dimanche après-midi. Je me rappelle seulement des mots de ralliement: *Yishuv*, *White Paper*, émancipation, *Negev*, révisionniste, *Aliyah*. Nous considérions Pierre Van Paasen comme un allié digne de confiance mais nous méprisions Koestler depuis qu'il avait écrit *Thieves in the Night*. Après nos réunions, nous descendions tous au sous-sol blanchi à la chaux où nous dansions la hora avec les jeunes filles. Je dansais rarement, préférant tirer sur ma pipe récemment acquise (grâce aux à-côtés que je me faisais) tout en observant la poitrine sautillante de Gitel. Après quoi, nous nous égaillions bruyamment dans la rue, à moins d'aller continuer la soirée chez l'une des jeunes filles afin de pouvoir nous bécoter gentiment ou, faute de mieux, d'échouer à l'académie de billard.

Le samedi, on nous faisait des discours sur la transformation du sol, on nous montrait des films sur la vie dans le Kibboutz. Tous, nous projetions de nous installer en Eretz.

— À quoi peut s'attendre un Juif d'ici? À des bâtons dans les roues.

Avez-vous entendu parler du frère de Jack Zimmerman? Le troisième de toute la province à l'immatriculation et pourtant on ne l'admet pas en préparatoire à la faculté de médecine.

Tôt le dimanche matin, nous faisions du porte à porte en faveur du *Jewish National Fund;* nous agitions nos boîtes en fer blanc pour les faire tinter sous le nez de gens brusquement tirés du sommeil, à tout le moins de leurs lits. Avec une vertueuse insistance, nous demandions les vingt-cinq, dix ou cinq cents qui contribueraient à reconquérir le désert, à acheter des armes pour Hagana et, par parenthèse, nous permettaient de soutirer trente-cinq sous du dessus de la collecte, c'est-à-dire le prix d'entrée d'une matinée au *Rialto.* Nous léchions les rabats d'enveloppes au quartier général du sionisme. Notre chorale participait à des assemblées organisées en vue d'obtenir un appui financier. Ceux d'entre nous qui, l'été, ne travaillaient pas comme garçons ou manutentionnaires se rendaient à une colonie de vacances dans une vallée laurentienne infestée de moustiques où ils écoutaient d'autres conférenciers et surveillaient, à défaut d'Arabes, des Canadiens français d'apparence louche. Notre héros incontesté était le *chalutz.* Je le vois encore, dans ma pensée, au-dessus d'une montagne de dépliants, l'œil clair, l'air résolu, un fusil en bandoulière et une faucille à la main.

Après une des réunions du samedi soir, Irving me prit à part.

— Si mon père téléphone, dis-lui que je couche chez toi ce soir.

Entendu, acquiesçai-je avec plaisir. Je lui offris d'inviter Hershey, Gas et quelques autres à une partie de *black-jack,* mais Irving prit un air sombre qui m'éclaira, si je peux dire: «Oh! je comprends. Mais où que tu vas?»

Il plaça un index sur ses lèvres et me lança un regard significatif. Je remarquai tout à coup Selma qui marchait lentement un peu plus loin devant nous. Elle s'arrêta devant une vitrine.

— Va au diable, dis-je avec une véhémence qui me surprit moi-même.

— Mais tu vas pas changer d'idée?

— Mais non, répondis-je, et je m'éloignai rapidement dans la direction opposée.

Selma avait la réputation d'être ardente — passionnée folle, disait Stan — mais je n'avais jusque-là vu en elle qu'une fille timide au teint foncé, aux cheveux noir-bleu, au maintien plutôt réservé. Et aux plus jolis seins qu'on puisse imaginer.

— Tu sais ce qu'elle m'a dit, me confia Hershey. Qu'elle se l'était brisé en sautant par-dessus une bouche d'incendie quand elle était petite. Aïe !

Même Arty, qui était aussi petit de taille que moi et plus boutonneux que je ne l'étais, se vantait d'avoir caressé Selma trois fois pendant la projection du film *The Jolson Story.*

Le vendredi suivant, après avoir réussi à me rendre à Habonim sans avoir une seule fois marché sur un interstice de trottoir, j'invitai Selma à une danse, mais elle me répondit qu'elle n'était pas libre.

Dans la soirée du vingt-neuf novembre 1947, après que les Nations unies eurent approuvé le projet de partage, nous nous sommes réunis à Habonim et sommes descendus en bas de la ville en déployant des drapeaux d'Israël, en faisant entendre nos chants à gorge déployée dans les quartiers WASP (White Anglo-Saxon Protestant), et en nous arrêtant en chemin pour appuyer sur les avertisseurs de voitures et désaxer les perches des tramways. Arrivés au centre-ville, le respect humain nous fit flancher un moment, ainsi que je me le rappelle, avant que nous ne bloquions la circulation en formant hardiment des groupes circulaires et en dansant la hora dans le milieu de la rue.

— Qui suis-je?

— YISROAL.

— Qui es-tu?

— YISROAL.

— Et nous tous?

— YISRO — YISRO — YISROAL.

Nos chefs de groupe, de même que plusieurs des *chaverim* les plus âgés, s'en allèrent combattre pour Eretz. Je ne donnai pas mon âge réel et m'enrôlai dans la réserve de l'Armée canadienne, en me disant que ce serait merveilleusement ironique de mettre à profit contre les Britanniques un entraînement fait au Canada. Je revins sur ma résolution en fin de compte et décidai, à la place, de finir mes études secondaires.

Pendant les jours de tension qui suivirent la proclamation de l'État d'Israël, nous nous réunîmes tous les soirs à Habonim pour discuter des nouvelles de l'Eretz et des événements locaux. Un médecin juif distingué adressa la parole au *Canadian Club*. À notre grand étonnement, ce médecin déclara qu'il était, bien que Juif, un Canadien avant tout. Il prévoyait qu'Israël provoquerait une bifurcation de la loyauté et il s'opposait à l'édification du nouvel État.

Les habitués de *Tansky's* furent bouleversés.

— Il est ce qu'on appelle un antiprogressiste.

— On aurait pensé que l'expérience allemande aurait fait la leçon une fois pour toutes à ces gens-là.

Sugarman fit remarquer que ce médecin était d'ores et déjà un O.B.E. (Order of the British Empire). «Mon fils, ajouta-t-il, croit qu'il convoite une plus grande distinction à la prochaine proclamation des titres.»

Le *Star* publia le texte intégral du discours du médecin.

— Si Ben Gurion adresse la parole, constata Takifman, ils lui accorderont peut-être un paragraphe à la page trente-deux, mais si ce *shmock* ouvre sa bouche baveuse...

La riposte vengeresse ne tarda pas. L'éditorialiste du *Canadian Jewish Eagle* écrivit que l'étoile de David éclipserait le *Star* de Montréal. Une collecte permit au poète A. M. Klein de répondre au médecin par la voie des ondes. Je dois dire aussi, avec regret, que nous prîmes l'habitude d'appeler le médecin à toute heure et de raccrocher après lui avoir crié des obscénités. Nous lui envoyions aussi des taxis, des déménageurs et des fourgons d'incendie jusqu'à ce que la succession rapide des événements nous le fît oublier. On apprit que Barach avait été interné à Chypre. Lennie était devenu capitaine dans l'armée.

Un jour, le journal nous apprit que Buzz Beurling, le plus spectaculaire des pilotes de guerre canadiens, s'était enrôlé dans l'aviation israélienne. Ce soir-là, à Habonim, on nous précisa brutalement que c'était à raison de mille dollars par mois. « Nous avons dû renchérir sur les Arabes. » Beurling ne put se rendre à Eretz. Son avion de combat s'écrasa près de Rome.

Brusquement, notre groupe commença à se disperser après la fin des études secondaires. Quelques-uns des *chaverim* allèrent s'installer en Eretz, d'autres entrèrent à l'université, la majorité des finissants se trouvèrent un emploi. Irving, qui avait la garde des J.N.F. (Jewish National Funds), dut souffrir le déshonneur de quitter Habonim après qu'on eut constaté un détournement de deux cents dollars.

Nous nous fîmes de nouveaux amis, nous nous découvrîmes d'autres intérêts. Hershey entra à McGill. Mes notes d'examen n'étant pas assez hautes, je dus me résigner à entrer à une université moins bien cotée : Sir George Williams. Quelques mois plus tard, je rencontrai Hershey au *Café André*. Il portait un chandail blanc décoré d'un gros M rouge et buvait de la bière en joyeuse compagnie de filles et de garçons aussi blonds les uns que les autres. Ils chantaient à tue-tête en martelant :

Si toutes les filles étaient comme un lapin
Et si j'étais lièvre, j'suivrais l'même chemin.

Mes compagnons avaient fondé une petite revue. J'avais terminé mon premier poème. Hershey et moi nous nous saluâmes de la main, un peu embarrassés. Il ne vint pas à ma table et je n'allai pas à la sienne.

DU MÊME AUTEUR

Œuvres

A Choice of Enemies
Barney's Version
Belling the Cat: Essays, Reports and Opinions
Broadsides, Reviews and Opinions
Canadian Writing Today
Cocksure
Creativity and the University
Home Sweet Home: My Canadian Album
Hunting Tigers Under Glass: Essays and Reports
Images of Spain
Jacob Two-Two and the Dinosaur
Jacob Two-Two Meets the Hooded Fang
Jacob Two-Two's First Spy Case
Joshua Then and Now
Notes on an Endangered Species and Others
Oh Canada! Oh Quebec! Requiem for a Divided Country
Shovelling Trouble
Solomon Gursky Was Here
Son of Smaller Hero
St. Urbain's Horseman
The Acrobats
The Apprenticeship of Duddy Kravitz
The Incomparable Atuk
The Great Comic Book Heroes and Other Essays
The Moslem Wife and Other Stories, Mavis Gallant
Writers on World War II

Œuvres traduites en français

L'apprentissage de Duddy Kravitz (traduction de *The Apprenticeship of Duddy Kravitz*)

Le cavalier de Saint-Urbain (traduction de *St. Urbain's Horseman*)

Le choix des ennemis (traduction de *A Choice of Enemies*)

Les cloches d'enfer (traduction de *Bells of Hell*)

Gursky (traduction de *Solomon Gursky Was Here*)

Jacob Deux-Deux et le dinosaure (traduction de *Jacob Two-Two and the Dinosaur*)

Jacob Deux-Deux et le vampire masqué (traduction de *Jacob Two-Two Meets the Hooded Fang*)

Joshua au passé, au présent (traduction de *Joshua Then and Now*)

Mon père, ce héros... (traduction de *Son of Smaller Hero*)

Le monde de Barney (traduction de *Barney's Version*)

Oh Canada! Oh Québec! Requiem pour un pays divisé (traduction de *Oh Canada! Oh Quebec! Requiem for a Divided Country*)

Qui a peur de Croquemoutard? (traduction de *Jacob Two-Two Meets the Hooded Fang*)

Un cas de taille (traduction de *Cocksure*)